はじめに

アメリカから日本へ来て7年になる。そしてこの2年あまり、母のロビンといっしょに英会話スクールで教えていて気がついたことは、日本人は英語になると器用貧乏なのかもしれない、ということ。不思議なことに、ネイティブよりいろいろな英語の知識（発音記号、発音アクセントの位置、「過去分詞」などの動詞変化の名前、catch a cold のようなイディオムなど）を知っているのに、ベーシックな会話能力がない。これはスゴクかわいそうなことだ。

まるで大工さんが1万個の細かい道具をそろえたけれど、道具が重たくて建築現場までたどり着くことができないのと同じだ。たとえ、うまく建築現場にたどりつくことができたとしても、道具箱からいったいどれを取り出して、どう使えばいいのかがわからないほど、道具が雑然としまわれている。

もっと不思議なことに80年代と90年代の英会話の本をみると、どれもこの問題を解決してくれるものはない。なぜなら、「俗語」や「面白い表現」や「日本人が知らない<珍>英語」や「超ビジネス英語」のフレーズ集ばかりだからだ。重たく混沌としている道具箱の状態を、さらに悪化させてしまう心配がある。

母と英語を教えるときにはいつも、「これだけでいいよ！」「よりシンプルな英語で話そう」ということをポリシーにしている。日本人の生徒さんが「なるほど！ これだけで伝えられるんだ」と、まるで重い荷物を肩から下ろしたような解放感を感じてもらえるように努めている。シンプルな表現だけをゲットしてマスターすれば、より多く、深い話ができるようになるからだ。それに応えて本当にシンプルな英語で、賢い会話術を身につけた生徒さんが育っている中で、ぜひこの基本のことばを説明してひとつの本にまとめてみよ

う、ということになった。それで、母と力を合わせ、アメリカ人の親子の立場から考えて、私たちの会話のルーツとなっているフレーズを整理し、100のフレーズにまとめた。

　その中には「学校では教えていなかった」ようなフレーズもあれば、「なるほど。学校で勉強したことがこうやって生かせるんだ」というものもある。

　最初に来日した際、僕も1年くらい、数少ない日本語(道具)しか覚えようとしなかった。例えば、「です」「ダメ」「ですか」などである。でも、それらをとにかく、いろいろな場面で使いこなした。(1)「です」……スティーブです、寒いです、おいしいです、独身です　(2)「ダメ」……今日はダメ、いつがダメ？、これはダメ？、ダメかな、ダメ押し　(3)「ですか」……いつですか、OKですか、どこですか、土曜日はOKですか、あすはOKですか、といった具合である。そうしているうちに、日本語のおもしろさがわかってきて、いろいろな人と出会うことができ、日本にいることがますます楽しくなってきた。

　「英語嫌いだった人」も「しゃべれるようになりたい人」も「熱心な人」も「ちょっと怠け者の人」も、ぜひ、本書によってシンプルな英語をしっかりつかんでほしい。そして、本当に自分の会話能力をアップさせる裏技を賢く使い込み、英語の楽しさを見い出していかれることを期待している。

2000年3月10日
スティーブ・ソレイシィ

CONTENTS

はじめに ———————————— 2
英会話の基本的な考え方 ————— 10
本書の構成と使い方 ——————— 14

Stage 1 BABY

1 ● **Go ahead.**（どうぞ／やっていいよ）——————— 18
GROWN-UP **Go ahead and...**（どうぞ……してください／……していいですよ）

2 ● **Here.**（はいどうぞ）————————————— 20
GROWN-UP **Here's...**（……をどうぞ）

3 ● **Almost!**（おしい！）————————————— 22
GROWN-UP 文中の **almost every**（ほとんど……）

4 ● **Not yet.**（まだダメ／まだです）———————— 24
GROWN-UP 文中の **not...yet**（まだ……ではない）

5 ● **It's OK.**（だいじょうぶ）——————————— 26
GROWN-UP **It's going to be OK.**（なんとかなりますよ）

6 ● **Can you...?**（……してくれる？）———————— 28
GROWN-UP **Would you...?**（……していただけますか？）

7 ● **Good!**（上手ね／よかったね）————————— 30
GROWN-UP **Good for you.**（よかったね／よかったですね）

8 ● **Just a little.**（ちょっとだけね）————————— 32
GROWN-UP **I'm a little**（私、ちょっと……）

9 ● **Don't.**（よしなさい／やめて）————————— 34
GROWN-UP **Please don't.**（おやめください）

10 ● **Be ＋形容詞**（……しなさい）—————————— 36
GROWN-UP **Be ＋ careful with...**（……には注意してね／……には気をつけて）

11 ● **Don't be ＋ 形容詞**（……しないで）——————— 38
GROWN-UP **Please don't...**（……しないでください）

12 ● **That's a waste.**（それってもったいないよ／もったいない）— 40
GROWN-UP **That's a waste of...**（……のムダだ／……がもったいない）

13 ● **We'll see.**（様子をみよう／今はだめ）—————— 42
GROWN-UP **We'll see whether...**（……かどうか様子をみよう）

14 ● **OK?**（いい？／だいじょうぶ？）————————— 44
GROWN-UP **Is it OK if...?**（……でいいですか？）

15 ● I want some.（ほしい／ちょうだい）——— 46
GROWN-UP I'd like...（……がいいんですが）
16 ● What's that?（それって何？）——— 48
GROWN-UP What's that called?（それ、何ていうんですか？）
17 ● I want to + 動詞（……したい）——— 50
GROWN-UP I'd like to...（……したいんですが／……したい）
18 ● I'm sorry about that.（ごめんなさい）——— 52
GROWN-UP I'm sorry I'm...（……のことはごめんなさい）
19 ● Thanks.（ありがとう／どうもすみません）——— 54
GROWN-UP Thanks for...（……をありがとう）
20 ● Can I ...?（……してもいい？／いい？）——— 56
GROWN-UP May I...?（……してもいいですか）

Stage 2 😊 KID

21 ● What's that mean?（それってどういう意味？）——— 60
GROWN-UP What's【わけのわからないことば】mean?（……ってどういう意味？）
22 ● ..., right?（……だよね？／……ですよね？）——— 62
GROWN-UP ..., isn't it?（……ですね／……ですよね）
23 ● Why?（なんで？／どうして？）——— 64
GROWN-UP Why is that?（なぜですか）
24 ● Hi!（こんにちは／どうも）——— 66
GROWN-UP It's nice to meet you.（はじめまして／よろしく）
25 ● Oh, well.（ま、しょうがない）——— 68
GROWN-UP Well...All right.（しょうがないなー。じゃあいいよ）
26 ● How was...?（……はどうだった？）——— 70
GROWN-UP How do you like...?（……はどうですか？）
27 ● How about... ?（じゃあ……は？）——— 72
GROWN-UP How about -ing?（じゃあ……でもすればどう？）
28 ● What about...?（……はどうなるの？／……はどうなってるの？）— 74
GROWN-UP What about your...?（あなたの……はどうなるの？）
29 ● Tell me too.（私にも教えて）——— 76
GROWN-UP Tell me about...（……について教えて）
30 ● Tell me what happened.（何があったか教えて）——— 78
GROWN-UP Would you tell me...?（……を教えてくれますか）
31 ● That's not + 形容詞（それって……じゃない）——— 80
GROWN-UP That's really...（それってホントに……）
32 ● That + 動詞（それって……）——— 82
GROWN-UP That looks...（……のようだ）

33 ● **Is that enough?**（それでたりる？）——————— **84**
GROWN-UP Is that really necessary?（そこまでやる必要ある？）

34 ● **after that**（その後……）——————————————— **86**
GROWN-UP before that（その前に）

35 ● **I don't feel like it.**（やりたくない／ちょっとその気になれないよ）— **88**
GROWN-UP I don't feel like ＋ 動名詞（ちょっと……する気分じゃない）

36 ● **How old are you?**（何歳？）——————————— **90**
GROWN-UP How old is this?（これは築何年ですか）

37 ● **What's wrong?**（どうしたの？）———————————— **92**
GROWN-UP What's wrong with...?（……はどうしたんだろう？）

38 ● **I need...**（……ちょうだい／……をお願いします）———— **94**
GROWN-UP I need to...（……しなくては／……しなくちゃ）

39 ● **I have to...**（……しなくちゃ／……しなきゃいけない）—— **96**
GROWN-UP You don't have to...（……しなくていいよ）

40 ● **Do I have to?**（やらなきゃいけないの？／しないとだめ？）— **98**
GROWN-UP Do we have to...?（……しなくちゃいけないの？）

Stage 3 🎀 CHILD

41 ● **What do I have to do?**（何をしなきゃいけないの？）—— **102**
GROWN-UP When do I have to...?（いつまでに……しなきゃいけないの？）

42 ● **Sure.**（いいよ）————————————————————— **104**
GROWN-UP My pleasure.（いつでもいいです／どういたしまして／よろこんで）

43 ● **I'm not sure.**（ちょっとわからない）————————— **106**
GROWN-UP I'm not sure if...（……かどうかちょっと自信がない）

44 ● **See you later.**（またね／ではまた／ではどうも）———— **108**
GROWN-UP See you in...（では……後にまた）

45 ● **We should...**（……したほうがいいよ）————————— **110**
GROWN-UP Why don't you...?（……したらどうですか？／……したら？）

46 ● **Should I...?**（……したほうがいい？）————————— **112**
GROWN-UP Should we...?（……しようか？）

47 ● **What should I...?**（何を……すればいい？）—————— **114**
GROWN-UP Where should I...?（［どこに何を］……すればいいですか？）

48 ● **We're supposed to...**（……することになっている／……するはず）— **116**
GROWN-UP was supposed to...（……しているはずだったのに）

49 ● **Don't worry about it.**（気にしないで／だいじょうぶ）—— **118**
GROWN-UP Don't worry about what...（……のことは気にしないで）

50 ● **You're lucky.**（うらやましい！／いいなあ……）———— **120**
GROWN-UP You're lucky ＋ S ＋ V（……があるなんてうらやましい）

CONTENTS

51 ● You'll be sorry.（後悔する［と思う］よ）——— **122**
GROWN-UP You'll be sorry if...（……だと後悔するぞ／……しないとまずいぞ）

52 ● I have an idea.（よし、こうしよう／ね、こうしない？）——— **124**
GROWN-UP I have an idea for...（……というのはどうかなあ）

53 ● I'll think about it.（考えとく／考えておきます）——— **126**
GROWN-UP I'm thinking about...（……しようと思っている）

54 ● There's...in 〜（〜に……がいる／ある）——— **128**
GROWN-UP There's nothing (to...)（……がない／何もない）

55 ● Is there....?（どこに……がありますか／……がいますか）——— **130**
GROWN-UP Is there something...?（……がありますか？）

56 ● I saw...（……に会った）——— **132**
GROWN-UP I ran into...（……にバッタリ会った）

57 ● That what-cha-ma-call-it.（あれ、あれだよ）——— **134**
GROWN-UP The thing that...（……するもの）

58 ● My [体の部分] hurts.（［……］が痛い）——— **136**
GROWN-UP I have [病名].

59 ● I can't wait.（待てなーい／楽しみ！）——— **138**
GROWN-UP I'm looking forward to... -ing（……を楽しみにしています／よろしく）

60 ● I knew it!（やっぱり！）——— **140**
GROWN-UP That figures.（ほらね、やっぱり）

Stage 4　PRETEEN

61 ● Do you mean this?（つまり、これってこと？）——— **144**
GROWN-UP Do you mean...?（つまり、……ってこと？）

62 ● That's not what I meant.（ちがうちがう）——— **146**
GROWN-UP That's not what I meant to...（私の……したものとはちがいます）

63 ● I'll get it.（私が捕まえるよ／やりますよ／しておきます）——— **148**
GROWN-UP I'll try.（がんばる／じゃあがんばってみる）

64 ● I think I...（私は……だと思う［けど］）——— **150**
GROWN-UP I think the problem is...（問題は……だと思う［けど］）

65 ● Maybe it's...（たぶん……かな／もしかして……かも）——— **152**
GROWN-UP probably（おそらく）

66 ● Everyone does it.（みんなやっている）——— **154**
GROWN-UP most（たいていの／だいたいの）

67 ● not that...（そんなに……ではない）——— **156**
GROWN-UP I didn't think it was that...（そんなに……とは思わなかった）

68 ● What...?（どの……？／何の……？）——— **158**
GROWN-UP What...do you use?（どこの……使ってる？）

69 ● **Which one?**（どれ[ですか]？／どっち[ですか]？）——— **160**
GROWN-UP Which one is better, this one or this one?（これとこれ、どっちがいいですか？）

70 ● **be -ing**（……するつもり／……することになっている）——— **162**
GROWN-UP 未来を表す現在進行形の疑問文

71 ● **might**（……かもしれない）——————————————— **164**
GROWN-UP I might...（私……するかもしれない）

72 ● **Never mind.**（何でもないです／気にしないで）——— **166**
GROWN-UP I don't mind.（私はかまわないよ）

73 ● **Do you want...?**（いる？／ほしい？／いります？）— **168**
GROWN-UP Would you like...?（……いかがですか？）

74 ● **Do you want to...**（……したい？／……します？）——— **170**
GROWN-UP Would you like to...?（……してみますか？／……なさいますか？）

75 ● **Let's...**（……しようよ）————————————————— **172**
GROWN-UP Why don't we...?（……しませんか？／……しようか？）

76 ● **Let's not.**（やめようよ）———————————————— **174**
GROWN-UP I'd rather not.（やっぱりやめておきます）

77 ● **I used to.**（前はね）—————————————————— **176**
GROWN-UP You used to...（前は……だったのに）

78 ● **It depends.**（場合によるね／一概にはいえない）—— **178**
GROWN-UP It depends on...（……による）

79 ● **You decide.**（あなたが決めて）————————————— **180**
GROWN-UP It's up to you.（あなたの好きなほうでいいですよ）

80 ● **Come on.**（いいからおいで／行こう）———————— **182**
GROWN-UP Come on.（うっそー／冗談はよして）

Stage 5 　TEENAGER

81 ● **I love this!**（これ、大好き）————————————— **186**
GROWN-UP I don't like...very much.（……はあまり好きじゃない）

82 ● **I can't help it.**（しょうがない）———————————— **188**
GROWN-UP There's nothing we can do about...（……はしょうがないよ）

83 ● **I'm not sure how.**（どうやったらいいのか、わかんないよ）— **190**
GROWN-UP I'm not sure how to explain it.（どう説明していいかわからない）

84 ● **What do you think?**（どう思う？／どう？）————— **192**
GROWN-UP What do you think about...?（……をどう思う？）

85 ● **Take your time.**（ゆっくり時間をとって／ごゆっくりどうぞ）— **194**
GROWN-UP Take your time with...（……に時間をかけて）

86 ● **Are you sure?**（ほんと？／間違いない？）————— **196**
GROWN-UP Are you serious?（それ、ホント？／マジ？）

CONTENTS

87 ● I'll tell you later.（あとでね）── **198**
GROWN-UP I'll let you know...（……に知らせます）

88 ● Let me ＋ 動詞（私に……させて）── **200**
GROWN-UP Let me know.（決まったら教えて）

89 ● I wish...（……だったらいいなあ）── **202**
GROWN-UP I wish I could, but...（そうしたいのはやまやまですが……）

90 ● I hope...（……するといいね／……になるといいね）── **204**
GROWN-UP I hope it doesn't...（……にならないといいですね）

91 ● I have a favor to ask.（お願いがあるんだけど）── **206**
GROWN-UP I'd like to ask you a favor.（お願いがあるんですけれども）

92 ● Trust me.（私にまかせて）── **208**
GROWN-UP Trust me when it comes to...（……のことならまかせてよ）

93 ● Just joking.（冗談よ）── **210**
GROWN-UP It's just...（ただの……だよ）

94 ● What's the difference?（どこがちがうの？／どうちがう？）── **212**
GROWN-UP What's the diference between ... and ～（……と～はどこがちがう）

95 ● I'm lost.（迷っちゃった）── **214**
GROWN-UP I'm sorry. I'm lost.（すみません。話がわからなくなったんですが）

96 ● It's your imagination.（気のせいよ）── **216**
GROWN-UP It's not your fault.（あなたのせいじゃない）

97 ● Long time no see.（ひさしぶり）── **218**
GROWN-UP It's been a long time since...（ひさしぶりに……している）

98 ● WH...again?（……は何でしたっけ？）── **220**
GROWN-UP What was your...again?（……は何でしたっけ？）

99 ● How often?（どのくらいのペースで？）── **222**
GROWN-UP How often do you play?（どのくらいのペースでやってるんですか？）

100 ● Good luck.（がんばって）── **224**
GROWN-UP Good luck with...（……をがんばって）

重要表現の口慣らし練習用リスト ── **227**
暗記用 100 フレーズ・リスト ── **230**
EXERCISES の解答例──
　　　　　　　　　　58/100/142/184/226

英会話の基本的な考え方

英会話に能書きはいらない。ここで説明するたった3つのルールをしっかり身につけるだけでいい。これが会話のルーツになる。

英語が使えるようになるための
❸ つのルール

● **ネイティブの子どもなら誰でも自然に身につける3つの英会話のルールをモノにしよう**

　ネイティブの子どもたちは、英語を話すうえでの「柱」となる次の3つの会話のルールを自然に身につける。他の能書きをいうと圧倒されるから、これだけでOKだ。

（1）主語の必然的な存在　（「私は」、「あなたは」を必ず入れる）
（2）語順　（主語＋動詞、文の最後は場所、時間）
（3）瞬発力　（ことばを発するまでのスピードを優先）

　この3つのルールはまさしく英語全体を貫いている。これは英語では当たり前のルールだ。文法など気にしないで、というのは大嘘。文法が最低限正しくできていないと通じない危険性が大きい。そういう最低限の文法はあまりにも当たり前すぎて、アメリカの学校の「国語」の授業ではほとんどふれないが、知っておくとすごく力になる。いくら語彙を増やしても、リスニング用のテープを聞いても、発音記号に沿ってことばを発しても、このルールに従わないかぎり、通じる英語を話すことはできない。逆にこのわずか3つのルールに則っていさえすれば、通じる英語を話すことができるのだ！

（1）主語

WARMING UP
次の日本語の文を英語にしてみよう。（解答は p.13 に）
(1) 忙しい　→　私、忙しいです。
(2) 熱い！　→　これは、熱いです。
(3) 父にもらった！　→　私、もらった、これを、父に。
(4) 行けるよ　→　私たち、行けるよ。

そもそも、日本語では主語をいちいちつけない。逆に僕も日本語を習うときに、主語を口にしないようにするのに苦労した。どうしても「私は行ってきます」や「あなたはお元気ですか」といってしまう。なぜなら小さいころから主語を絶対にいう、英語の「大和ことば」の思考方法が身についているからだ。

> **(2) 語順　主語＋動詞＋...（場所と時間は最後）**
>
> **WARMING UP**
> 次の日本語の文を簡単な英語にしてみよう。（解答はp.13に）
> (1) 昨日、10時まで待ちました　→　私、待った、10時まで、昨日
> (2) 彼に、10分前に公園で会った　→　私は会った、彼に、公園で、10分前に
> (3) 明日、駅の改札口で、7時に会いましょう
> 　→　会いましょう、駅で、改札口で、7時に、明日

語順については、例えば、「先週、家で仕事をした」という文を英語にすると、まず日本語にない"I"から始め、I worked at home last week. となる。この「SV（主語＋動詞）＋場所＋時間」の語順でいけば、飛躍的に英語が通じるようになる。たとえ動詞の変化形を間違えても、最後で時間的な関係を推測してもらえるから、正確に通じる保険になる。

もちろん、上の文をもっと難しいことばでいおうと考えたり、細かいところで悩んだりしようと思えばできるけれど、私たちは会話するときに、そういうことを求めてはいない。「SV＋場所＋時間」の順になってさえいれば問題はない。むしろそれ以外の些細なことで会話が止まってしまうと、いやな雰囲気になる。やはり、会話では正確さより瞬発力が必要だ。

そのキーは、Simple is best. である。わざわざ難しくいう必要はない。

> **(3) 瞬発力**
>
> **WARMING UP**
> 次の日本語の文を英語にしてみよう。（解答はp.13に）
> (1) 係の人がタオルを用意してくれなかった。→　タオルがないんですが。
> (2) 彼はマスコミに写真を暴露した。→　彼、マスコミに写真を渡した。
> (3) このチケットはここの船専用のチケットですか？→　これでいいですか？

3つ目の瞬発力について。英会話スクールで、初対面の際に一番英語がうまい、と思った人（Aさん）。彼女が手をスッと差し伸べてパッと口にしたのは、"Hi, I'm A." というたった3つのことばだ。Aさんの瞬発力は普通ではない。とてもスピーディーで礼儀正しく、気持ちがいい。

日本では中学校・高校を通じて、100以上の文法項目を教えるので、文法の理解はできても、数が多くて、会話になると口をついて出てこない。でもこの3つの会話のルールをクリアできたら、日本人の皆さんは、ネイティブと同じ言語ベースを持つことになる。これは大きい（リスニング力アップにも貢献する）。この3つ、正しく主語を入れたり、一番ベーシックな英語の語順を守ったり、難しいことを簡単なことに変えたりすることに毎回しっかり集中すれば、あっという間に通じる英語を話すことができるようになる。

● 英会話の○と×の基準

　これは僕のふたりの生徒の話。Bさんは初対面のとき、僕らの前で2分くらいの自己紹介を、たどたどしくがんばってやった。「アー、Let me intro…Let me intr…introduce…Let me introduce だったっけ、my…my…myself. それから My name is B. It's pleasure…pleasure… あれ？ あのあの、It is my pleasure…pleasure meet you.」。これで2分。もうひとりのAさんは、パッと手を差し出して、とまどわずに、"Hi. I'm A." で2秒。

　ふたりのレベルは、英語の知識という点ではほぼ同じだが、僕らが安心して話せるのは、やはりAさんだ。ことばの正しさよりスピード優先、難しいことをいわないで、そのときに必要なことばをスムーズに口にすること。難しいことをひとついうより、3つの簡単な文をいえば、安定した英語のアプローチができるということで、「英語の勉強をしている人」ではなく、「英語をしゃべっている人」として見なされる。

　Bさんのアプローチは、自転車であれば、わざわざ乗りにくい自転車に乗ろうとしているわけで、転びながら乗っている。ところが、Aさんはシンプルな機能の自転車にスイスイ乗っているだけである。

　自分の知っていることばを生かしているか、それとも、いつも新しい表現を思い出そうとしているか、この差が、瞬発力がつくかつかないかの大きな分かれ目になってくる。瞬発力をつけるには、考え方を変えなければいけない。それはパーフェクトな文を作ることを目指さず、通じることを目指すということ。それだけを目指せば、瞬発力もついてくる。

　例えば、レストランでフォークがほしいとき、完璧な文を作ろうとして "Excuse me…Would you…Could you、いや、May I? Bring…fork…bring to me fork … give?" と1分以上も迷いに迷うのではなく、多少間違っても、簡単で広く使え

る May I have ~ を使って May I have fork? と5秒でいえるかどうかだ。正しくは May I have a fork? だが、とりあえず十分通じる。本書には、この May I have ~ ? のような便利なフレーズが厳選されている。

● コアから広げる勉強方法のアドバイス

　僕たち親子が日本語を勉強したときには、ひとつの「コア」＝「しん（芯）」のことばから少しずつ広がった。
　僕、スティーブの場合は、日本語の「です」「ですか」「お願い」のほか「できる？」。例えば「これ、できる？」→「これはできますか」→「お願いがあります……これはできますか」。
　母、ロビンの場合は、日本語の「……です」。例えば、「ロビンです」→「アメリカ人です」→「これです」→「これですか」というように。
　これは勉強という意識ではなく、ひとつのことばを自分のことばにして、広げていっただけだ。英語もこれと同じことができる。
　例えば、What's wrong?（どうしたの？）→What's wrong with this?（これはどうしたの？）→What's wrong with the boss today?（今日のボスはどうしたの？）→What's wrong with the printer?（プリンターがどうしたの？）→What's wrong with this idea?（このアイディアの何がいけないの？）
　この本は、このメソッドを自然に実践できるようになっているので、ひとつひとつのフレーズを自分のことば、自分の表現のコアにできる。本書で練習して、ひとつずつ、英語という道具＝「ことば」をマスターしていってほしい。You can do it!

WARMING UP の答え
(1) 主語　(1) I'm busy. (2) It's hot. (3) I got it from my dad. (4) We can go.
(2) 語順　(1) I waited until 10 p.m. yesterday.
　　　　(2) I saw him at the park 10 minutes ago.
　　　　(3) Let's meet at the station at the ticket gate at seven tomorrow.
(3) 瞬発力 (1) I don't have towels in my room.
　　　　(2) He gave the pictures to the media.
　　　　(3) Is this OK?

本書の構成と使い方

英会話のルーツ、100のフレーズを便宜的に5つの年齢別グループに分けています。ひとつのキーフレーズや発展形などを見開きで説明します。

キーフレーズと、それを使うシチュエーションをイラストで表しています。

POINT
キーフレーズの使い方のポイントを解説しています。

BE CAREFUL
日本人が特に間違いやすい点や、文化的なバックグラウンドを解説しています。

TRACK
CDのトラックナンバーを表示しています。全部で51トラックです。

DEFINITION

キーフレーズおよび GROWN-UP の表現の意味とポイントのまとめです。

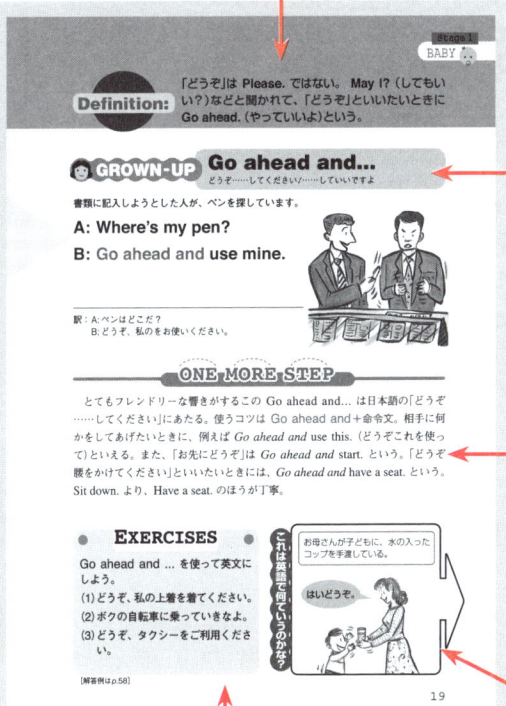

GROWN-UP

左ページのキーフレーズをプラスアルファして、大人でも安心して使える発展的表現とそれを含むダイアログです。

ONE MORE STEP

上記の表現の解説およびその発展的な説明です。

これは英語で何ていうのかな？

シチュエーションを考えて、イラストのふきだしのセリフを英語にしてみてください。次のページに答えがあります。

EXERCISES

この見開きで学んだことを確認する、簡単な英訳問題です。

CDの収録内容のお知らせ

ナレーター

スティーブ・ソレイシィ／ロビン・ソレイシィ／辻　麻衣／トム・クラーク

■**CDの収録時間：約70分**

■**CDの収録内容**

100の基本フレーズと GROWN-UP のフレーズ、ダイアローグ、および、ところどころに、スティーブのワンポイント・アドバイスがちりばめられています。100の表現が2個ずつ、50のトラックに収録されています。

■**CDの効果的な使い方**

　本を見ずに、CDのみをかけっぱなしで聞いて、100の基本フレーズとその発展形の100フレーズが理解できるように、日本語と英語を織り交ぜて収録しています。

　基本フレーズに関しては、日本語が最初に1回と、そのあとに対応する英語の表現が2回収録されています。

　通勤途中で、あるいは台所で家事をしながら、気楽にCDをかけて頭の中に表現をインプットしていってください。何度も繰り返し聞いて、基本フレーズ100とその発展形の表現100フレーズについては、日本語を聞いたら反射的に、英語の表現が出てくるようにしたいものです。ここで、覚えた200の表現をコアにして、どんどん使える表現を増やしていきましょう。

CDについて
- 弊社制作の音声CDは、CDプレーヤーでの再生を保証する規格品です。
- パソコンでご使用になる場合、CD-ROMドライブとの相性により、ディスクを再生できない場合がございます。ご了承ください。
- パソコンでタイトル・トラック情報を表示させたい場合は、iTunesをご利用ください。iTunesでは、弊社がCDのタイトル・トラック情報を登録しているGracenote社のCDDB（データベース）からインターネットを介してトラック情報を取得することができます。
- CDとして正常に音声が再生できるディスクからパソコンやmp3プレーヤー等への取り込み時にトラブルが生じた際は、まず、そのアプリケーション（ソフト）、プレーヤーの製作元へご相談ください。

「この帽子をかぶってもいい?」という坊やに「どうぞ」と英語で答えると……。

Stage 1

BABY

お母さんからの語りかけのことばをたっぷり耳にする赤ちゃん時代。どんなことばを耳にしたのかな。

Go ahead.
どうぞ/やっていいよ

訳：どうぞ。

POINT

「どうぞ」にあたる英語は Please. ではない。「どうぞ」といいたいときには、大きく分けてふたつある。ひとつはこの Go ahead.。もうひとつは p.20 で説明する Here. である。Go ahead. は「お先にどうぞ」という意味だけではなく、相手から、「してもいい？」May I? などと聞かれて、「どうぞ」といいたいときに使う。つまり、相手の動作に対して「どうぞ」といいたいときに使われる。

BE CAREFUL

Please. を「どうぞ」という意味で使わないのは Please.＝「ください」だから。ここで日本人が（和英の辞書も）混乱してしまうのは Please. がたまに「どうぞ」にあたるからだ。その場合の Please. は例えば Please sit down. の省略形。この省略形を上手に使うのは、高度な技といえよう。日本人のミスである Please. は、よくいえば未完成な文として聞こえる。

Stage 1
BABY

Definition: 「どうぞ」は Please. ではない。May I?(してもいい?)などと聞かれて、「どうぞ」といいたいときに Go ahead.(やっていいよ)という。

GROWN-UP Go ahead and...
どうぞ……してください/……していいですよ

書類に記入しようとした人が、ペンを探しています。

A: Where's my pen?
B: Go ahead and use mine.

訳：A: ペンはどこだ？
　　B: どうぞ、私のをお使いください。

ONE MORE STEP

　とてもフレンドリーな響きがするこの Go ahead and... は日本語の「どうぞ……してください」にあたる。使うコツは Go ahead and＋命令文。相手に何かをしてあげたいときに、例えば *Go ahead and* use this.(どうぞこれを使って)といえる。また、「お先にどうぞ」は *Go ahead and* start. という。「どうぞ腰をかけてください」といいたいときには、*Go ahead and* have a seat. という。Sit down. より、Have a seat. のほうが丁寧。

EXERCISES

Go ahead and ... を使って英文にしよう。
(1) どうぞ、私の上着を着てください。
(2) ボクの自転車に乗っていきなよ。
(3) どうぞ、タクシーをご利用ください。

［解答例は*p.*58］

これは英語で何ていうのかな？

お母さんが子どもに、水の入ったコップを手渡している。

はいどうぞ。

Here.
はいどうぞ

BABY

訳：A: はいどうぞ。
　　B: ありがとう。

POINT

「どうぞ」にあたる英語のひとつは先に説明した Go ahead.。もうひとつは、物を渡すときの「どうぞ」である Here.、またはそのフル表現の Here you are. である。手近なものを渡すときは Here. を使う。例えば、Would you give me the salt?（塩を取っていただけますか）といわれ、塩を渡しながら「どうぞ」といいたいときには Here. が自然。もうちょっとフォーマルなシチュエーションのときは Here you are. がふさわしい。

BE CAREFUL

日本人が Please. を使っているのを聞いて、一番ハズレだなと感じるのは、モノを渡すときだ。長く日本に住んでいると聞き慣れてしまうかもしれないが、小さいころ、母親が何かモノを渡すときには、いつもちゃんと Here. または Here you are. といっていた。Please. は未完成な文なので、どうしても please を使いたいのなら、Please have this.（これを受け取ってください）といえばいい。

Definition:

「どうぞ」とものを渡すときの基本表現は Here. や Here you are.. Please. ではない。「……をどうぞ」と文にするなら、Here's... となる。

 **Here's...** ……をどうぞ

ホテルの部屋に荷物を運んでくれたベルボーイにチップを渡します。

A: **Here's** a little something for you.

B: Thanks.

訳：A: 少ないですがどうぞ。
　　B: ありがとうございます。

ONE MORE STEP

「……をどうぞ」というときは Here's...。これはひとことの Here. よりもっとフォーマルなシチュエーションで何かを差し出すときや提出するときによく使う。入国審査で、「パスポートです」と差し出すときは *Here's my passport.* といえばいい。映画館でチケットを渡すとき係の人がよくいうのは *Here are your tickets.* だ。また、傘を借りて、翌日返しに行ったとき、「傘をお返しします」というのは、*Here's your umbrella.* だ。

EXERCISES

Here's... を使って英文にしよう。
(1) リポートをどうぞ。
(2) どうぞ、私の申込書です。
(3) はい、CDをお返しします。
(4) ［レストランで注文の料理を渡しながら］お待たせしました。

［解答例はp.58］

これは英語で何ていうのかな？

投げたボールがリングにあたってしまったのを見てひとこと。

おしい！

Almost!
おしい！

訳：おしい！

POINT

　Almost. は日本の英語教育で見落とされている基本表現のひとつ。「おしい」、「もう少しで」といいたいときには、ほとんどのネイティブはひとこと Almost! という。これはポジティブなことばだ。子どもがやる気をなくさないよう、できるだけ No.（ダメ）をいわないように、「もうすこしで」というプラスの意味で Almost! を使う。スポーツ選手がわずかに外してしまったときにも Almost!。テレビのクイズ番組でゲストが正解に近い答えを出したときも司会者が Almost! という。

BE CAREFUL

「ほとんどの日本人」は almost Japanese だけでは不自然。正しくは、almost every（または almost all）Japanese である。almost を正しく使うコツは almost のあとに every または all など「100%」にあたることばを入れること。almost every day / almost everyone のように、必ずセットとしてつけるようにしよう。何をつけるか迷ったらとりあえず almost every にしておこう。most を使うという手もある（例：most Japanese［ほとんどの日本人］）。

Definition: 「おしい」は、ひとこと Almost! という。文中の「ほとんど……」は必ず almost every か almost all にしたほうが通じる。

 文中の **almost every**
ほとんど……

散歩中の女性同士が話しています。犬を連れたほうの人が少し面倒そうにいっています。

A: I have to take him to the salon almost every week.

B: Wow.

訳：A: ほとんど毎週、美容院に連れて行かなくてはいけないのよ。
　　B: ワーオ。

ONE MORE STEP

　文中の almost の使い方には注意。almost だけでは「ほとんど」にならない。「almost＋every」または「almost＋100％にあたることば(all, always, full, empty)」と一緒に使われるので、例文をよく見て使い方のコツを学ぼう。

・I *almost always* go to work by train.（通勤にはほとんどいつも電車を使っている）
・I work overtime *almost every day*.（ほとんど毎日残業している）
・The gas in the car was *almost empty*.（車のガソリンがほとんどカラだった）

EXERCISES

almost を使って英文にしよう。
(1) 私はほとんど毎日外食です。
(2) ほとんどの日本人の女性は、年のわりに若く見える。
(3) 私は映画館に行くより、ほとんどビデオを借ります。

[解答例は*p.58*]

これは英語で何ていうのかな？
プレゼントの包みを開けようとした子どもをお母さんが止める。
まだダメ。

4 Not yet.
まだダメ／まだです

🍼 BABY

訳：まだダメよ。

---- P・O・I・N・T ----

　Not yet.は「（だめ、）まだですよ」という意味。会話で、Did you finish that?（それ、終わった？）と聞かれたら、Not yet. とひとことで答えられる。「あと（時間が）……かかる」と加えたいなら、I need one more hour.（あと1時間かかります）などを付け足そう。また、母親が子どもに「まだよ」というときは、Not yet. の後に、Be patient.（もうすこし我慢しなさい。p. 36参照）を加えたりする。

　「まだダメ」と自分から切り出すには、I'm not ready yet.。プロポーズされて「まだ結婚する心の準備ができてない」というときも使える。

✋ BE CAREFUL

　赤ちゃんから幼児になるにつれて、No. ばかりの返事が次第に多様化してくる。英会話歴のまだ浅いあなたも返事の仕方のバラエティーを身につけよう。

　例えば、レストランでウエイターに Are you finished?（食事はおすみですか）と聞かれたら、あっさり No. と答えるのではなく、Not yet. と答えたほうが断然自然に聞こえる。

Definition: Not yet. は「まだだよ」という意味の、No. のバリエーション。発音は「ナッイェ」。文中の「まだ……ない」は否定文をいって、最後に yet をつける。

GROWN-UP 文中の **not...yet** まだ……ではない

なかなかメニューを持ってきてもらえず、あきれたお客がウエイターを呼んでいます。

We don't **have our menus yet.**

訳：まだメニューをもらっていないんですが。

ONE MORE STEP

　英会話の瞬発力を身につけるキーは勉強方法にある。危険なのは英語講座の「今日のストーリー」や本の Dialogue を、その場で理解できただけでよしとして、終わりにしてしまうことだ。それより、覚える表現の数を最小限に絞って、自分の「英会話ネタ」の中に、その表現を徹底的に取り入れること。文中の not yet もそんな表現のひとつだ。否定文の文末に yet をつけるだけ。「私、英語はまだダメ」は I'm *not* good at English *yet*.。肯定文でいうなら I'm *still* studying. とする。

EXERCISES

not...yet を使って英文にしよう。
(1) 私たちはまだ伝票をもらっていない。
(2) 私はまだ大学を卒業していない。
(3) 息子は一人で留守番させられるほどまだ大きくない。

[解答例はp.58]

これは英語で何ていうのかな？

雷をこわがる子どもをお母さんが優しく抱きしめていている。

だいじょうぶ。

It's OK.
だいじょうぶ

BABY

It's OK.

I'm scared.

訳：A: こわいよう。
B: だいじょうぶよ。

POINT

OKは主語などによって意味がちがってくる場合がある。It's OK.（だいじょうぶ）は誰かがこわがっていたり悲しんでいたりするときに使う**慰めのことば**。一方、「寒くないですか」などと聞かれて I'm OK. といえば「**私はだいじょうぶですよ**」という意味になる。「だいじょうぶです」のポイントは主語。でも、「いいよ」という返事として OK. のみで使うことはある。例えば、Would you ...?（……してくれる？）に OK. という感じ。

BE CAREFUL

It's OK. も That's OK. も「だいじょうぶ」と訳されるが、使い方はちょっとちがう。It's OK. はこわがっている相手をなだめたりするときのことばで、That's OK. は謝られたときなどに「気にしないで」という感じで使うことばだ。例えば、I'm sorry I forgot your birthday. / That's OK.（誕生日を忘れてごめんね／いいのよ）。でも、迷ったら It's OK. を使おう。

Stage 1 BABY

Definition: It's OK. は「だいじょうぶだよ」。こわがっていたりする相手にかける慰めのことば。心配している相手に「なんとかなるよ」は It's going to be OK.。

GROWN-UP   It's going to be OK.
なんとかなりますよ

故障した車を前にして、途方にくれている相手を慰めています。

It's going to be OK.

訳：なんとかなりますよ。

ONE MORE STEP

　It's going to be OK.（なんとかなりますよ）は、とても効果的な慰めのことばになる。「先のことで、今からぐずぐずいってもしょうがない」というニュアンスもある。情報が洪水のようにあふれているこの現代社会の中で、心配しすぎる人に対して、今からパニックしていてどうするの!?といいたいとき、It's going to be OK.（なんとかなるさ）。あるいは強調するなら Everything's going to be OK. ともいえる。

EXERCISES

It's going to be OK. を使って英文にしよう。

A: あ、大変だ！
B: なんとかなるよ。レッカー車を呼んで直してもらうよ。

[解答例は p.58]

これは英語で何ていうのかな？

台所でお母さんが子どもにお手伝いを頼んでいます。

ティッシュを取ってくれる？

Can you...?

……してくれる？

BABY

訳：ティッシュを取ってくれる？

Can you get me that tissue?

POINT

　Can you...? は「……できる？」だけではなく、「……をしてくれる？」と頼むときに使えるストレートな言い方。Can you ring my cell phone?（私の携帯、鳴らしてくれる？）などだ。Can you get me [＋ゲットしてほしいもの(a bag / a map / a ticket)]? はよく使う表現だ。ただ Can you ... は親しい人同士で使う表現なので、丁寧にものを頼むときには必ず Would you...?（してくれますか）を使おう。

BE CAREFUL

　相手に命令文でものを頼まないこと。例えば、Give me a fork.（フォークちょうだい）や Fork please. は失礼な感じがする。Please give me a fork. もベストではない。英語のまだできない人が使う表現。アメリカ人の子どもは小さい頃から礼儀として Can you / Can I...? を当たり前のように使うようにする。そしてもっと丁寧な感じを出すために、その文の最後に please をつけるようにと、親からいわれるものだ。

Stage 1
BABY

Definition: Can you...? は「……してくれる？」とストレートに頼むときの表現。Would you...? は「……してくれますか」で、そのソフトな形。

GROWN-UP Would you...?
……していただけますか

オフィスで、高いところにある箱を取ってくれるように男性に頼んでいます。

A: **Would you** get me that box?
B: Sure.

訳：A：あの箱を取ってくれますか？
　　B：いいですよ。

ONE MORE STEP

　Could you...? と Would you...? のちがいを分析しようと思ったらいくらでもできるが、それは分析好きな人にまかせて、私たちは英語を確実に話すために、「頼むときには、Would you...? を使う」——これだけをしっかり覚えよう。例文の Would you get me＋ほしいもの？ はとても便利な表現。警官に助けを求めるときにも *Would you get me* a policeman please? などといえる。Could... も何かを頼むときに使えるが、まずは can の過去形（「…できた」）として使いこなせるようにしよう。例えば、*Could you* find it?（見つけられた？）などだ。

EXERCISES

Would you...? を使って英文にしよう。
(1) 日本語のできる方にかわっていただけますか。
(2) 電卓をお願いできますか。
(3) 15分後にかけ直してもらえますか。
(4) 背中かいてもらえる？

[解答例はp.58]

これは英語で何ていうのかな？

子どもの描いた絵をお母さんが「上手ね」とほめている。

上手ねえ。

Good!

上手ね / よかったね

BABY

Mommy! Look.

Good!

訳：A: おかあさん、見て。
　　B: 上手ねえ。

POINT

Good. は「いいね」「上手ね」「よかったね」という感じ。例えば飛行機の出発の遅れを心配して、空港の人に確認したときに、The flight will leave on time.（フライトは予定通りです）という答えだったら、Good.（よかった）、フルセンテンスでいうなら That's good.（それはよかった）。

BE CAREFUL

英語と日本語の大きな違いは語順。普通は主語から始まる（p.10参照）。特に会話の始まりや新しいトピックを切り出す場合、そのたびに、主語・動詞がないと相手に通じないと思ったほうがいい。しかし、受け答えなら主語のいらない表現がほとんどだ。Good. もそのひとつである。余裕があれば、Good. のあとに I especially like this part.（特にこの部分がいいと思うの）のようにほめたいポイントを具体的に加えるといい。

Stage 1
BABY

Definition: Good. はできがよかったときに「上手ね」とか「いいね」という意味で使う。Good for you.（よかったね）は Congratulations. より軽く日常的に使う。

GROWN-UP Good for you.
よかったね / よかったですね

新聞に自分の投書が採用されて掲載されているのに気がつきました。

A: The newspaper printed my letter.

B: Good for you.

訳： A: 私の投書が載った。
　　B: よかったね。

ONE MORE STEP

Good for you.（よかったね）はCongratulations!（おめでとう）より、軽く日常的に使えることば。例えば、相手が「私、すこし英語が話せるようになった」といったら Good for you. と答える。また、第三者がやったことに対しても Good for him / her / them. が使える。例えば「夫は今マラソンのトレーニングをしている」には、Good for him.、「娘がやっとあの変な男と別れたのよ」にはGood for her. のようにいえる。ちなみに、Congratulations! を使うのは、結婚、会社の設立記念日などの大きな節目のときで、日常的な出来事には使えない。

EXERCISES

good (for...) を使い英文にしよう。

(1) Tomorrow will be sunny all day.
「よかった」。

(2) I learned to cook tempura.
「よかったね」。

(3) My daughter got into Waseda.
「よかったですね」。

[解答例は p.58]

これは英語で何ていうのかな？

フレンチフライにケチャップをかけすぎないように注意している。

ちょっとだけね。

Just a little.

ちょっとだけね

訳：ちょっとだけね。

POINT

　皆さんは Can / Do you speak English? とよく聞かれるだろうが、そこで No. というだけでは失礼だ。少なくとも相手の英語での質問が聞き取れるわけだから、Just a little.（少しだけ）といおう。それで相手がダーッと話してくる危険は少ない。むしろいつもよりゆっくりしゃべってくれるはずだ。そもそも、ネイティブスピーカーだと思っているならば Do you speak English? とは聞かないはずだから。Just a little. は相手に歩み寄ってもらえる便利な表現だ。

BE CAREFUL

　英会話では学校の授業のように、完全な文で答える必要はない。Do you like Japanese movies? と聞かれて、いつも Yes, I do. ではおかしい。Yes. や Sometimes. だけでも自然だ。さらに、I like French movies, too. など一言足そう。ただし Can you speak English? の返事は Yes. でも No. でもよくない。No, I can't. は一番失礼な答え。それがいえるくらいなら、No.（できない）というわけではない。この答えは文法的には正しくても、潜在的に「あなたとなんか話したくない」という意味になってしまう。

Stage 1 BABY

Definition: Just a little.「ちょっとだけね」は、「英語できる？」と聞かれて、No. だけでは失礼、Yes. だけでは危険な場合に、相手に歩み寄ってもらえる表現。

 GROWN-UP I'm a little... 私、ちょっと……

仕事をするのにふさわしくない格好をしている部下を注意しようとしています。

I'm a little concerned about your outfit.

訳：キミの格好がちょっと気になっているんだがね。

ONE MORE STEP

　英語が、どんなに日本語よりフランクかつストレートな言語であっても、相手に露骨に、乱暴に聞こえないように、われわれネイティブスピーカーもことばを選んでいる。日本語でも「ちょっと……」ということばを入れて、簡単にソフトにするように、英語でもソフトにしたい表現の前に、a little を入れて、*I'm a little* cold. のようにいえばよい。上の例の I'm a little concerned.（ちょっと気になる）もフランクではなくソフトで、丁寧な言い方だ。

EXERCISES

I'm a little... を使い英文にしよう。
(1) この料理にはちょっと納得いかないなあ。（「納得がいかない」は be dissatisfied with...）
(2) そのことについて私はちょっと混乱してます。（「混乱する」は be confused about...）

［解答例はp.58］

これは英語で何ていうのかな？
女の子にイタズラをする男の子をたしなめている。
よしなさい。

Don't.
よしなさい／やめて

BABY

訳：よしなさい。

P O I N T

何かをやめてほしいときに、No. や Stop. より Don't. のほうが、いろいろな場面で、自然に使うことができる。May I ...? と頼まれたときに、「いや、そうしないでください」というときも Don't。ただその場合は頭に Please をつける（右ページ参照）。「やっていいよ」なら OK. / Go ahead. / Sure. というが、「やっちゃだめよ」なら Don't. や Please don't.。Don't. は Do not. を省略した形。Do not＋動詞も強い禁止を表す（例：DO NOT FEED THE BEARS ［熊にエサをやるな］）。

BE CAREFUL

No. のひとことは、子どもっぽく聞こえるか、または強く禁止する表現に聞こえる。念のために、Don't の前にはなるべく Please をつけておこう。かなり強く制止したいときに、ひとこと Don't. といっても問題ない。また、Please don't. と同じ意味とニュアンスで（Please）*Don't* do that！もある。これも強く禁止しているように聞こえるフルセンテンスのバージョン。

Stage 1
BABY

Definition: Don't は「やめなさい」「よしなさい」と相手の行動を制止する表現。「おやめください」と丁寧に制止するには、Please don't. という。

 GROWN-UP　Please don't.　おやめください

お寺で、仏像の写真を撮影してもいいか、お坊さんに尋ねています。

A: May I?
B: **Please don't.**

訳：A: 写真を撮ってもかまいませんか。
　　B: おやめください。

ONE MORE STEP

　Please don't. は相手のやろうとしていることを<u>丁寧に制止することのできる表現</u>。ウエイターがまだ食べ終わっていない皿を下げようとするときにも、No. ではなく、Please don't.（持っていかないでね）。また、相手が伝票を持って払おうとするとき、「払うのはあなたじゃないわ。私よ」という意味で、日本語で「いい。いい。いーの」といいたいときも、No, no, no no no. ではなく、Oh. *Please don't.* というと英語らしくなる。

EXERCISES

don't を使って英文にしよう。
(1) 接待客：私がお皿を洗います。
　　ホスト：いや、いいですよ。
(2) ［無理矢理キスしようとする男性に対して］「やめて」。

［解答例は p.58］

これは英語で何ていうのかな？
レストランで行儀の悪いことをする子どもをたしなめていう。
我慢しなさい。

10 Be ＋ 形容詞

……しなさい

BABY

I'm hungry, I'm hungry...

Be patient.

訳：A: おなかすいた、おなかすいた……。
B: 我慢しなさい。

POINT

　命令形をむやみに使うのはよくないのだが、この「Be＋形容詞」は大人同士で**アドバイスをするときなら使える**。例えば、ひとり旅で遠いところまで出かけようとする人に対してならば、Be careful.（注意してね）といえる。また、「どういうふうにすればいいの」と相談を受けて、「自分を素直に出せばいいんだよ／自分らしくすればいいんだよ」という意味で Be yourself. といえる。

BE CAREFUL

人に何かを頼むときやしかるときなどに命令形を使う場合は注意が必要。

(1) 頭に Would you ...? をつけると、失礼ではない言い方になる。[例] Would you be quiet?（静かにしてくれませんか）
(2) 他の表現に言い換える。
[例] ・Be more kind.（もっと親切にしなさい）→ I think you're being too mean.（ちょっとひどいと思うよ）
・Be on time.（時間厳守で）→ Would you be at the station before seven?（7時前に駅にいてくれますか）

Stage 1
BABY

Definition: 「Be＋形容詞」は Be careful.（気をつけて）のように、人にアドバイスをするときに使える。頭に Please を付けるとソフトな言い方になる。

GROWN-UP Be careful with...
……に注意してね/……には気をつけて

今日のボスは機嫌が悪そう。社員がそれを察して、同僚に何かささやいています。

Be careful with the boss today.

訳：今日のボスには気をつけて。

ONE MORE STEP

　Be careful with... は、上手に使えば、相手に注意を促すときに便利な表現だ。*Be careful with* the boss. のように、人に対して用いても OK。壊れやすいものに注意してほしいときには、Please *be careful with* this vase.。ビジネスの場面でも、Please *be careful with* this information.（この情報は取り扱い注意で）のように使える。また、「……のとき注意してね」は Be careful when....。「夜出かけるときには注意してね」は *Be careful when* you go out at night. という。ちなみに take care of... は「気をつけて」より「対処して」になることが多い。

EXERCISES

「be＋形容詞」を使って英文にしよう。

(1) [外国人のお客さんが「今ほしい！」と無理に頼んできたとき] 我慢してください。

(2) [友達に車を貸して、ぶつからないように注意する] 気をつけてね。

[解答例はp.58]

これは英語で何ていうのかな？

恥ずかしがる子どもを、「恥ずかしがらないで」と励ましている。

恥ずかしがらないで。

11 Don't be ＋ 形容詞

……しないで

BABY

Don't be shy.

訳：恥ずかしがらないで。

POINT

　Don't be shy. は命令形だが、人を励ますときの言い方にもなる。つまり、日本語でも「……をしないで」という言い方はきつくなることが多いが、「どうぞ遠慮しないで」というような言い方は、フレンドリーに聞こえる。それに近いのが英語の Don't be＋形容詞。例えば、「遠慮せずに食べて」とか、「もじもじしないで」にも Don't be shy. が使える (ちなみに英語の感覚では shy は必ずしもいい意味ではない)。

BE CAREFUL

Don't be＋形容詞は人と付き合ううえで非常に大切な表現。アメリカ人はこれを子どものころからいい慣れていて、大人になってもよく使っている。「……しないでくれる？」。例えば、同席している人のタバコがいやだったら、その場で Please don't.（タバコを吸わないで）といったほうがいい。また、Don't be so modest.（そんなご謙遜を）はほめ言葉になるし、Don't be silly. は「そんなばかな」「そんな話はよしなさい」と相手をたしなめる表現になる。Don't be late. は、「遅れないで」「時間厳守でね」という意味。

Stage 1 BABY

Definition: 「Don't be＋形容詞」は「……しないで」。Please を文頭につけると丁寧な形になる。「……しないようにお願いします」は「Please don't＋動詞」。

GROWN-UP　Please don't＋動詞
……しないでください

自動券売機でせかす後ろの列の人に、「そんなにせかさないで」と言い返しています。

A: Hurry up!

B: **Please don't** rush me.

訳：A: 急いで。
　　B: そんなにせかさないで。

ONE MORE STEP

「今、始めてくれますか」は Would you start now? という。でも今は始めてほしくないときには何といえばいい？ Would you not start now? ン？ それより、*Please don't* start now. といったほうがすぐにわかるし丁寧だ。さわってほしくないものがあるなら *Please don't* touch this. といえばいいし、「これはまだ使わないでいただきたい」といいたいなら、*Please don't* use this yet. といえばいい。

EXERCISES

「Don't / Please don't be＋形容詞」を使って英文にしよう。

(1) ここでタバコは吸わないでください。
(2) そんなバカなことをいうな。
(3) 私のサラダにドレッシングをかけすぎないでください。

［解答例はp.58］

これは英語で何ていうのかな？

ティッシュをちらかしている子どもを見てお母さんがひとこと。

もったいない。

That's a waste.

それってもったいないよ / もったいない

BABY

That's a waste!

訳：もったいない。

POINT

That's a waste. は「もったいない」と同じ意味で使われる。「お金を無駄づかいしないで」なら Don't waste your money.、「もったいないことをしないで」なら Don't waste（＋things または物の名前）.。将来性のある選手がけがをしたりすると、その人のキャリアについて「もったいない」That's a waste. といえる。What a waste. はその強調形。女の子のきれいなウエストラインを What a waist! とほめるオヤジギャグもある。

BE CAREFUL

最近のアメリカの話。環境保護主義者（Environmentalist）は実に熱心でうるさい、ということがわかったのは妹のエレンから。すこしでも無駄遣いしようものなら、That's a waste.どころではなく Don't waste!!! It's bad for the environment. と、とにかく大変な騒ぎになる。例えば、日本の割り箸、ペットボトルだけでなく、植物へやる水はリサイクルの水でないとだめ。エレンに注意されたらいつも、Oh, sorry. I'll be careful next time. としかいいようがない。

Stage 1 BABY

Definition: That's a waste. は日本語の「もったいない」。何がもったいないのかは、例えば That's a waste of money. のように That's a waste of... の形で表す。

GROWN-UP That's a waste of...
……のムダだ、……がもったいない

占いを見てもらおうと占い館に入りたがる女性を、男性が止めています。

That's a waste of time and money.

訳：時間とお金のムダだよ。

ONE MORE STEP

基本は That's a waste of（浪費の対象になるもの）という語順。語順は、「もったいない、金と時間が」。これとセットになるのは Let's not. だ。先に「やめよう」Let's not. といって、その理由は「……がもったいない」That's a waste of... と続く。例えば、相手に、Do you want to play *pachinko*? There's a new one near the station.（パチンコへ行かない？ 駅の近くに新しい店がオープンしたんだ）と誘われたら、Let's not. *That's a waste of* money.（よしとくわ。お金がもったいないから）と断ることができる。

EXERCISES

That's a waste of... を使って英文にしよう。
(1) 紙のムダだ。
(2) それはエネルギーの浪費だ。
(3) 貴重な時間がもったいない。

[解答例は*p.58*]

これは英語で何ていうのかな？

ハンバーガーが食べたいとせがむ子ども。お母さんは考え中。

様子をみましょう。

13 We'll see.

様子をみよう／今はだめ

🔴 **BABY**

"We'll see."

"McDonald's? Please! Please! Please!"

訳：A: マクドナルド。お願い、お願い、お願い。
B: 様子をみましょう。

POINT

We'll see. は受け答えの No. よりステップアップした表現。頼まれたときに半分断る感じでいう。つまり「とりあえずだめ」という意味。あるいは Can we buy this? と聞かれて、We'll see. という返事をすれば、100％断っておらず、様子をみましょう、という意味になる。また、例えば Will your company participate?（御社は参加されますか）と予定を聞かれ、「まだわからない」というときにも We'll see.。

BE CAREFUL

p.106 でも説明するが、「わからない」「答えられない」というときは、I don't know. を避け、もっとソフトな言葉を使おう。この We'll see. や I'll see. もソフトで便利な言葉だ。注意点はやはり主語。仲間、同じ立場である人にいうなら We'll see.、外部の人にいうなら I'll see.。しかし、そのラインがあいまいなとき、迷ったときは We'll see. にしておこう。

Stage 1 BABY

Definition: We'll see. は「そうねえ」と、とりあえず「様子をみよう」というときに使われる。「……かどうか様子をみよう」ならば、We'll see whether...。

GROWN-UP We'll see whether...
……かどうか様子をみよう

俳優のスキャンダルが発覚。芸能事務所で事後処理について話しています。

A: Should we have a press conference?
B: <u>We'll see whether</u> the newspapers print the story.

訳：A:記者会見を開いたほうがいいだろうか。
　　B:新聞がその記事を書くかどうか、様子をみよう。

ONE MORE STEP

　We'll see の後に whether... で「……かどうか様子をみましょう」。*e.g. We'll see whether* we have enough money.（お金がそこまで続くかどうか、様子をみましょう）。もちろん whether... をつけないでそのまま単独でも We'll see. といえる。ただし、We'll see. の後に、なぜ様子をみなければならないかを説明したほうが、感じがよく、わかりやすい場合もある。例えば、「様子をみましょう。だってデータは全部集めていないんだから」といいたいときには、*We'll see. I don't have all the data yet.* という。

EXERCISES

We'll see whether... を使って英文にしよう。
(1) 雨になるかどうか様子をみましょう。
(2) 時間があるかどうか様子をみてみましょう。
(3) 彼が本当にできるかどうか様子をみましょう。

[解答例はp.58]

これは英語で何ていうのかな？
子どもがお母さんにバナナを差し出し、「食べていい？」と聞く。
いい？

14 OK?

いい？/だいじょうぶ？

BABY

OK?

訳：いい？

POINT

　単独で OK? を使うポイントは、何に対して OK? といっているのかが相手に十分に伝わっていること。普通は、I'm taking the car today, OK?（今日、僕、車で行くけど、だいじょうぶ？）のように文の最後に OK? をつけ加える。この OK? は、きわめて英語的な発想のことばかもしれない。日本語ならもしかすると「だめ？」や「これでだめ？」というところを、「これでいい？」＝OK?といっている。「だめ？」などとは英語ではあまりいわない。OK? または Can I? / May I?（していい？）という肯定的な表現が英語では主流になる。

BE CAREFUL

「だいじょうぶ？」の意味で OK? を使うときには、英語の大原則にそって主語と動詞を入れたほうがいい。すると、何について「だいじょうぶ？」と聞いているのかが相手に正確に伝わる。何かを頼まれて「これでいい？」なら Is this OK?。自分が記入した入国用紙を係員に見せて尋ねるなら、これも Is this OK? となる。また、泣いている人を見かけて「あなただいじょうぶ？」といいたいときには Are you OK?。

Stage 1 BABY

Definition: OK? は、「だいじょうぶ？」「いい？」と同様、相手が何に対して、OK? といっているのかわかっている状況で使われる。フルにいうと、Is it OK if...?。

GROWN-UP　Is it OK if...?
……でいいですか？

エアロビクススタジオ。レオタード姿の先生から体験レッスンに誘われました。

Is it OK if I just watch today?

訳：今日は見ているだけでいいですか？

ONE MORE STEP

多くの場合では入れ替えができる May I...? と Is it OK if...? だが、後者にはいまからやろうとしていることがルール違反になるかどうかを尋ねているニュアンスがある。

・*Is it OK if* I come at 10:30, instead of 10?
（10時ではなくて10時30分に来てもだいじょうぶ？）

・*Is it OK if* I park here?（ここに駐車してもだいじょうぶ？）

・*Is it OK if* I take this home?（これを家に持って帰ってもだいじょうぶ？）

EXERCISES

OK を使って英文にしよう。
(1) 会議を午前8時に変更してもだいじょうぶ？（「……を~に変更する」は move...to~）
(2) この部分をきみがやり、あっちをボクがやるということでだいじょうぶ？（「この部分」this part）

[解答例はp.58]

これは英語で何ていうのかな？

大人が飲んでいるワインを見て子どももほしがっている。

僕ほしい。

I want some.

15

ほしい/ちょうだい

BABY

「I want some.」

訳：僕、ほしい。

POINT

　赤ちゃんのレベルの言語から幼児の段階へいくときの表現は、I want... だ。つまり、ほしいものを単語だけでいうのではなく、文で表現にするようになる。例えばおかわりがほしいときに、単に「もっと」more というだけではなく、「もっとほしい」I want more.、「もっともらえる？」Can I have more? というようになる。「……ほしい」というときには、まず「I want それからほしい物」── これが人間の一番基本的な欲求を表す表現のひとつだ。ただ、「……がほしい」というときに、I want... と相手に要求するのは子どもっぽい言い方になる。I want a new cellphone. のように、自分で買いたいもののことをいうときには問題はないが、できるだけ、I'd like... という表現を使うようにしよう。

BE CAREFUL

「I want＋もの」はあくまでも子どもの「わがまま」なことば。大人はほとんど使わない。日本人の観光旅行者がよくいう I want two tickets. は、ネイティブが聞くと失礼に聞こえる。人にものを頼むときには絶対に避けてほしい表現だ。I want... ではなく、右ページで説明する I'd like... または p.57の May I have... を使おう。

Stage 1 BABY

Definition: 自分のほしいものを表すのが **I want...**（……がほしい）。ほしいものをソフトに頼むときには **I'd like...**（……がほしいんですが）を使う。

GROWN-UP　I'd like...
……がいいんですが

レストランで料理を注文するときに、量を減らしたいんだけど、と頼んでいます。

I'd like a smaller helping.

訳：もっと量を減らしたいのですが。

ONE MORE STEP

大人になると「I'd like＋もの」で丁寧に「……がほしい」を表現する。日本の学校でもこういうメジャーな表現を徹底して教えればいいのに、受験ではその次が a か an か some かということばかり聞かれる。実際の会話では、何を頼みたいかその場で通じたら○、丁寧にいえたら◎、しかもすぐにいえたら「はなまる」。冠詞などを気にして言葉が出ないのは×。いざとなれば I'd like two, this, another plate. とフレーズのあとに単語を並べるだけでも「取り皿が2つほしいです」ということは伝わる。

EXERCISES

I want.../I'd like... を使って英文にしよう。
(1) 日本の新聞がほしいのですが。
(2) もう1個ほしいんですが。
(3) 辛くない料理がいいんだけど。

［解答例はp.58］

これは英語で何ていうのかな？

お父さんの携帯電話が鳴っている。子どもが興味を示して、

それ何？

16 What's that?
それって何？

BABY

What's that?

It's my mobile phone.

訳：A: それ何？
　　B: 携帯電話だよ。

POINT

　アメリカの子どもの英語教育はこの What's that? から飛躍的に進む。好奇心旺盛な子どもはこの表現だけでやたらといろいろなことを聞きまくる。もちろん、What's that? は日本人の大人が使っても、同じ効果を得られる。例えば、「電球」の英語を忘れたら電球のほうを指差して What's that? と尋ねれば教えてくれる。あるいは「財布」という英語を忘れたら、自分の財布を出して What's this? と尋ねるというパターンもある。最後に、in English をつけて、What is this *in English*? としてもよい。

BE CAREFUL

　きつい表情や無表情で、What's that? と聞かないこと。教えてほしいという気持ちを表し、笑顔で聞こう。それから日本においては美徳とされる遠慮は英会話ではほどほどに。遠慮なく、根掘り葉掘り聞こう。相手がわからない単語を使ったら、What's＋[わからない単語]？のパターンで聞き返そう。例えば Are you coming to the baptism? といわれたら、What's "baptism"? と聞き返せばよい。

Stage 1
BABY

Definition: What's that? は「それって何?」という意味。わからないものを、どんどん尋ねることができる便利な表現だ。

GROWN-UP What's that called?
それ、何ていうんですか？

工場で、新米の技術者が先輩技術者に見慣れない道具について尋ねています。

What's that called?

_____

訳：それ、何ていうんですか？

ONE MORE STEP

What's that? は「それって何？」、What's that called? は「それって何ていうの？」。What's this called? は、目の前にあるものの名前を聞くときに使える。機械や食べ物などいろいろ聞き出せば、ボキャブラリーの世界も広がる。名前を聞いてもわからなければ What's that for?（何のためのもの？）、How do you spell that?（どうつづる？）など質問するとコミュニケーションの練習になる。好奇心で会話を盛り上げよう。p.60の表現と合わせて覚えるといい。

EXERCISES

What's...? を使って英文にしよう
(1) これ何ていう料理ですか。
(2) それなーに。
(3) (I wish I had a blender. といわれて、最後のことばがわからない)「ブレンダー」って何ですか。

［解答例はp.58］

これは英語で何ていうのかな？

子どもがパイロットの帽子をかぶって、何になりたいかいっている。

パイロットになりたい。

17 I want to + 動詞
……したい

BABY

I want to be a pilot.

訳：パイロットになりたい。

POINT

want to ... は日本語の「……したい」にあたる。**to を忘れないこと**。この表現の根っこにあるイメージは日本語的にいうと、例えば、I want to play. で「遊ぶこと (= to play)」がほしい。

「<もの>がほしい」というときは、I'd like + <もの>という。I want + <もの>だと要求となり、丁寧ではない。ただ、「(自分が)……したい」というのは必ずしもわがままではない。自分の夢や目標については、I want to / I really want to find a girlfriend. といっても、I'd like to find a girlfriend. といっても OK。「(自分が)……になりたい」は、I want to be... か I'd like to be...。

BE CAREFUL

I want to... と相手に要求したり、自分の要望を主張したりするのは子どもっぽい表現になる。ただし、自分の夢や目標を語るときには、I want to... を使ってもよい。相手に物を頼むときには I'd like to... を使おう。それがマナーだ。例えば自分の都合に合わせて会議の時間を調整してもらうのは、必ずしも「わがまま」ではない。ただ、それを頼むときは、I'd like to start ealier/later. (もう少し早く／遅く始めたいんですが)のように I'd like... を使おう。

Stage 1 BABY

Definition: I want to... は日本語の「……したい」にあたる、相手に要求したり自分の要望を主張する子どもっぽい表現。相手にものを頼むときには、I'd like to... が基本。

GROWN-UP　I'd like to...
……したいんですが/……したい

窮屈な飛行機の客席。空いている席に移りたいと客室乗務員にお願いしています。

I'd like to move to a different seat.

訳：席を替わりたいんですが。

ONE MORE STEP

「……したい」というときには、「I'd like to＋動詞」が基本。発音は「アイッラクタ……」。「……したくない」というなら、I wouldn't like to＋動詞。例：*I wouldn't like to sit* here now. (今ここで座りたくないのですが……)。しかし、それよりもよく聞くのは、I'd rather not... (*p*.175参照) を使った形だ。例：*I'd rather not sit* here. (ここにあんまり座りたくない)。主語に注意。「私たち」の場合は、例えば We'd like to sit here. のように we になる。

EXERCISES

I want to / I'd like to＋動詞を使って英文にしよう。
(1) あの席に座りたいんですが。
(2) もっとスムーズに英語を話したい。
(3) いろんな種類の食べ物に挑戦したいな。

[解答例は*p*.58]

これは英語で何ていうのかな？

ものを壊してしまった子どもが親に謝っている。

ごめんなさい。

18 I'm sorry about that.
ごめんなさい

BABY

（I'm sorry about that.）

訳：ごめんなさい。

POINT

「ごめんなさい」I'm sorry about that. は詫びるときの基本の表現だ。I'm を省略した Sorry about that. もよく使う。単独の Sorry. も「ごめん」にあたる表現で、人に軽くぶつかったりしたときによく使う。それよりもう少し大きなミスのときには I'm sorry about that. のほうが誠実な感じがする。さらに深く謝罪を表したいのなら、I'm so sorry about that. のように so を用いればよい。

BE CAREFUL

一つ気になるのは、I'm sorry. の言い過ぎか、あるいは言わなさ過ぎ。物を頼んで渡された瞬間に、「あ、すみません」というのは、英語では I'm sorry. ではなく Thanks. でいい。逆にことばの足りなさにも要注意。つまり、海外で人に軽くぶつかったりすると、緊張のため、あるいは「外国では簡単に謝ってはいけない」という思い込みで、「あっ」とおじぎをするくらいですませてしまうが、ひとこと Sorry. と口に出そう。余裕が出たら、I'm sorry about that. といってみよう。

Stage 1
BABY

Definition: I'm sorry about that. は「ごめんなさい」とお詫びをするときの基本表現。単に I'm sorry. というよりも誠実な感じがする。

GROWN-UP I'm sorry I'm...
……のことはごめんなさい

待ち合わせに遅れてやって来た女性が、男性のほうに走り寄りながら、謝っています。

A: **I'm sorry I'm** late.
B: That's OK.

訳：A: 遅れて本当にごめんなさい。
　　B: いいよ。

ONE MORE STEP

　もちろん I'm sorry [for being late]/[to be late]/[about being late]. などといろいろいえるが、応用が大変だ。**I'm sorry に主語と動詞をつけ足す形が一番使いやすい**かもしれない。また、この形が一番深く謝っているように聞こえる。程度の問題もあるので下記を参考にしてほしい。左から右にかけて丁寧な表現になっている。各ステップに so を足しても OK。

Sorry.<- I'm sorry.<- I'm sorry about that.<- I'm sorry＋S＋V

EXERCISES

I'm sorry... を使って英文にしよう。
(1) ホントにゴメン、忘れちゃって。
(2) [人がトイレにいるときにドアを開けてしまって] 失礼しました。
(3) うちの母が遅れてすいません。
(4) ホントに申し訳ない。

[解答例は p.58]

これは英語で何ていうのかな？

ピエロの渡してくれる風船を受け取りながら、お礼をいっている。

ありがとう。

19 Thanks.
ありがとう／どうもすみません

BABY

Thanks.

Here.

訳：A: どうぞ。
　　B: ありがとう。

POINT

　Thanks. は基本。Thank you. はその丁寧形。もしもっと強調したいなら、very much を最後に加える。友達や同僚には、日本語の「ありがと」同様に短く Thanks.。ただ、Thanks. は「ありがと」とちがい、いろいろと使える。むしろ、「すみません」にも近いので目上の人にも広く使ってよい。

BE CAREFUL

　人にものを頼むと、迷惑をかけることになるかもしれないからと、「あ、すみません」というが、この I'm sorry. の発想を、Thanks. か Thank you very much. か Thank you for... に変えてみよう。ところでよく日本で耳にするミスは Thank you for your calling.。ここで **your** はいらない。Thank you for のあとは動名詞か your ＋ [名詞：いただいたもの] が正しく、your と -ing をミックスすると間違い。

Stage 1 BABY

Definition: Thanks. は「ありがとう」。Thank you. はその丁寧形。Thanks for your... の後は名詞で、-ing はダメ。逆に Thanks for calling. には your は不要。

GROWN-UP　Thanks for...
……をありがとう

ホームパーティーで、ホストとゲストの夫婦があいさつを交わしています。

A: **Thanks for coming today.**
B: **Thanks for inviting us.**

訳：A: 今日は来てくれてありがとう。
　　B: お招きいただき、ありがとうございました。

ONE MORE STEP

　英語のあいさつは一般に長ければ長いほど丁寧である。したがって、お礼もお詫びもとても丁寧にいいたければ、Thank you for を先頭にして、そのあと何に対して Thank you なのかを入れればよい。しかし、いつも Thank you. だと距離を感じる人もいるかも。Thanks for -ing や Thanks for your ＋もの、でフレンドリーにいうことも大事。例：*Thanks for visiting* us.（おいでいただき、ありがとう）、Thanks for your help / ideas / hard work.（助けてくれて／アイディアを／一生懸命やってくれて、ありがとう）

EXERCISES

Thanks for...を使って英文にしよう。
(1) メールありがとね。
(2) 誘ってくれるのはありがたいんだけど、私、忙しいのよね。

[解答例はp.58]

これは英語で何ていうのかな？

すべり台で遊びたい子どもがお母さんに許可を求めている。

僕もやっていい？

20 Can I...?
……してもいい？／いい？

🍼 BABY

「Can I?」

訳：僕もやっていい？

POINT

　Can/May I?（＋ジェスチャー）だけで自分が「してもいい？」と相手に確認する感じ。Can I? よりも May I? のほうが丁寧。

　May I? の自然な言い表し方は相手に目を合わせて、したいこと、ほしいものを指差していう。目の前にしたいこと、ほしいものがないときには、もうちょっと工夫しなくてはならない。例えば、「雑誌をいただいていい？」なら May I have a magazine? という。

✋ **BE CAREFUL**

　Would you...? と May I...? の意味と使い方を混乱しないように。May I...? は「……してもいい？」と、相手に確認や許可を求めようとしているような響き。一方、Would you...? は「……していただけますか」と丁寧に相手に頼んでいる表現。例えば、Would you take our picture?（シャッターを押していただけますか）などだ。どちらも便利な表現なので、上手に使い分けたい。

Stage 1 BABY

Definition: Can / May I? は「してもいい？」と相手に許可を求める省略形。May I have...? は「……をお願いします」と、ものをソフトに要求できる。

GROWN-UP May I...? ……してもいいですか

タクシーから降りようとした男性が、運転手に領収書を求めています。

A: **May I** have a receipt?
B: Sure.

訳：A: レシートをいただけますか。
　　B: ええ。

ONE MORE STEP

　May I have［＋ほしいもの］?（……をお願いします）は非常に便利な表現。ほしいもの（名詞）の前の冠詞や代名詞は、マークシート問題なら命とりだが、英会話ではマイナーポイント。間違っても通じるかどうかにそれほど影響しないことが多い。一応おさらいすると、
・*May I have a* receipt?　数えられるモノの前 a
・*May I have some* bread?　数えられないものの前は some
・*May I have some more* bread?　もっとほしいときは some more
　避けたいのは、「ほしいもの＋please.」。Receipt, please. は失礼だ。May I have a receipt? と丁寧にいおう。

EXERCISES

May I...? を使って下線部を英文にしよう。
A: すいません。
B: はい。
A: 新しいフォークいただけますか。
B: はい。少々お待ちください。

［解答例は p.58］

> これは英語で何ていうのかな？
>
> お父さんがつい口にしたことば。子どもには意味がわからない。
>
> それってどういう意味？

EXERCISESの解答例

1. *p.*19 (1)Go ahead and have my jacket. (2)Go ahead and use my bike. (3)Go ahead and take a taxi.

2. *p.*21 (1)Here's the report. (2)Here's my application. (3)Here's your CD. (4)Here's your order.

3. *p.*23 (1)I eat out almost everyday. (2)Almost all Japanese women look very young. (3)I almost always rent movies, instead of going to the theater.

4. *p.*25 (1)We didn't get the bill yet. (2)I'm not finished with university yet. (3)My son's not old enough to stay at home alone yet.

5. *p.*27 A:Oh No! B: It's going to be OK. I'll call a tow truck and get it fixed.

6. *p.*29 (1)Would you get me a Japanese speaker? (2)Would you get me a calculator? (3)Would you call me back in 15 minutes? (4)Would you scratch my back?

7. *p.*31 (1)Good. (2)てんぷらが作れるようになったんだ。 Good for you. (3)娘が早稲田に入学しましてね。 Good for her.

8. *p.*33 (1)I'm a little dissatisfied with this meal. (2)I'm a little confused about that.

9. *p.*35 (1)Guest: I'll wash the dishes. Host: Please don't. (2) (Please)Don't.

10. *p.*37 (1)Please be patient. (2)Please be careful.

11. *p.*39 (1)Please don't smoke here. (2)Don't be silly. (3)Please don't put too much dressing on my salad.

12. *p.*41 (1)That's a waste of paper. (2)That's a waste of energy. (3)That's a waste of precious time.

13. *p.*43 (1)We'll see whether it rains or not. (2)We'll see whether I have time or not. (3)We'll see whether he can really do it or not.

14. *p.*45 (1)Is it OK if I move our meeting to 8 a.m.? (2)Is it OK if you do this part and I do that part?

15. *p.*47 (1)I'd like a Japanese newspaper. (2)I'd like one more. (3)I'd like a dish that's not spicy.

16. *p.*49 (1)What's this called? (2)What's that? (3)What's "a blender"?

17. *p.*51 (1)I'd like to have that seat. (2)I want to speak English more smoothly. (3)I'd like to try a lot of different foods.

18. *p.*53 (1)I'm so sorry I forgot. (2)I'm sorry about that. (3)I'm sorry my mom's late. (4)I'm so sorry about that.

19. *p.*55 (1)Thanks for your e-mail. (2)Thanks for inviting me, but I'm busy.

20. *p.*57 A: Excuse me. B: Yes. A: <u>May I have another fork?</u> B: Sure. Just a moment.

それってどういう意味？

おとうさんがいった Damn it! の意味がわからない。どうやって英語で聞くのかな？

Stage 2

KID

What's that?、What's that mean? などとまわりの大人に尋ねていくことで、世界を広げていく幼児の時代です。

21 What's that mean?

それってどういう意味?

KID

Damn it!

What's that mean?

訳: A: クソッ。
B: それってどういう意味?

POINT

　本来これは What does that mean? だが、話すときには What's と省略形になる。「それってどういう意味ですか」という意味。that は「あなたが今いったことば」を指している。What's that mean? は What's that? (p.48参照)とともに、会話において重要な役割を果たす。こういうふうに尋ねれば、相手はもっとやさしく話そうとする。What's that? や What's that mean? は、自分にわかりやすいように相手に歩み寄ってもらうときにも使える表現だ。つまり、キャッチボールによってコミュニケーションを成立させられる。

BE CAREFUL

　What's that mean? の使い方はわかっていても、いざ使おうとすると、よくいい間違える。それは What's mean を先に口にしてしまうことだ。それを避けるためには、最初は **What's**＋真ん中はわからないことば＋最後はいつも **mean?** と覚えておこう。聞いてわかったふりをするのはもっとよくない間違い。きちんと確認しよう。

Stage 2
KID

Definition: What's that mean? は「それってどういう意味？」。that のかわりに、意味のわからない単語を入れてもよい。ただし、mean は常に最後にいうこと。

GROWN-UP

What's（わけのわからないことば）mean? ……ってどういう意味？

ボスが部下にいったことば。意味のわからない外国人社員が同僚に聞いています。

A: We need "konjo"!
B: What's "konjo" mean?

訳：A：根性が必要だ。
　　B：根性ってどういう意味？

ONE MORE STEP

　英語で話していて、聞き取れない単語がでてきたら、最初はWhat's、真ん中で「わからない単語」を繰り返し、最後に mean? といってみる。例えば、I love Target. といわれたら What's ターゲ mean? というと、普通は相手がまず「あ、そうか、この人は英語のネイティブではない」と悟って、やさしい英語で説明してくれるはず。このテクニックを上手に使えば、英語のネイティブスピーカーである相手に、いつもわかりやすいことばでしゃべってもらえるような関係を築くことができる。

EXERCISES

What's...mean? を使って英文にしよう。
(1) これってどういう意味。
(2) [相手が、知らない省略語NWAといったとき] NWA ってどういう意味かな。

[解答例はp.100]

これは英語で何ていうのかな？

子どもが、もらったプレゼントが自分のかどうかを確認している。

これ、私のだよね。

..., right?

……だよね？／……ですよね？

KID

This is mine, right?

No. Yours is the white one.

訳：A: これ、私のだよね。
B: ううん。あなたのはこの白いのよ。

POINT

付加疑問文をつくるより、まず、..., right? をマスターしよう。「たぶんそうだったかな」と思ったら、文の後ろに right? をつけて、You live in Tokyo, right?（東京に住んでいるでしょ？）といえる。親のことばなら、You don't want to get a spanking, right?（お尻をひっぱたかれたくはないでしょ？）などといえる。ただし right? を疑問文の最後に置かないように。

BE CAREFUL

特に有効に right? を使えるのは You're not mad, right? のように説得するときやロジカルに話を追っていくとき。でも、以下の例のように、使い過ぎないように。「見たことないでしょう。ねねね。でも見たいでしょう。ねねね。そうでしょう。教えてほしいでしょう」You've never seen this before, right?//But you want to see it, right?//You want me to tell you about it, right?

Stage 2 KID

Definition: ..., right? は「だよね」、「(そう)でしょう」という意味の、汎用性の高い「確認」のことば。しかも使い勝手がよく、肯定文の最後につけるだけでよい。

GROWN-UP ..., isn't it?　……ですね/……ですよね

非常に寒い日。大人がブルブル震えながらいっています。

A: **It's cold today, isn't it?**
B: **Yeah, it is.**

訳：A: 今日は寒いですねえ。
　　B: ほんとにねえ。

ONE MORE STEP

　..., right? と「付加疑問文」のちがいはひとことでいうと「念を押して確認する」vs「おしゃべり」。世間話にふさわしいのは ..., isn't it? だ。本当に寒いのかどうかを知りたいなら、It's cold, right? のほうが適切である。..., isn't it? は確認のためではなく、さりげない世間話や自分のいいたいことへの共感、同意を促すために使う。いちいち動詞を変えるのはめんどうなので、付加疑問文はそれほど使われない気もするが、使うとすれば It's..., isn't it? の形。例えば、*It's* getting warmer, *isn't it*?（暖かくなってきましたね）。

EXERCISES

..., right?/isn't it? を使って英文にしよう。
(1) 私たちは7時に会うんだよね。
(2) ボクのこと愛してるんでしょ。
(3) きれいに晴れた日ですね。

これは英語で何ていうのかな？

なぜ野菜を食べなければならないのか、子どもがお母さんに質問。

なんで？

[解答例はp.100]

23 Why?
なんで？/どうして？

KID

> Why?

> Eat your vegetables.

訳：A: 野菜を食べなさい。
B: なんで。

POINT

　Why は何かをいわれて、その理由や説明がほしいときの受け答えとして使う。日本の英語教育ではこんなにシンプルな受け答えを認められないかもしれないけど、**会話になると、ひとことの受け答えはごく日常的なもの**だ。つまり、日本語でもそうだろうが、私たちはいつもフルセンテンスで受け答えをしているわけではないからだ。There was a fire.（火事があったよ）といわれて、Where was the fire?（どこで火事があったのですか）や When did the fire take place?（いつ火災が発生したの？）と、いちいちいう人はいない。Where?（どこで？）や When?（いつ？）と短く答えるのが普通だ。

BE CAREFUL

　Why? を文句をいっているような口調でいわないこと。素朴に疑問を投げかけているようにいおう。日本語の感覚とちがい、英語では Why (is that)? をよく使う。というのもアメリカ人は小さいころから If you don't understand, ask.（わからなければ[すぐその場で]尋ねなさい）といわれるからだ。率直に確認しよう。疑問があるのに、遠慮して黙ってしまわないように。

Stage 2 KID

Definition: Why? 「なんで？」という意味で、日本語の「なんで」と同じように、ひとことで受け答えに使うことができる。

GROWN-UP Why is that? なぜですか

自動ドアなのに手で開けなければいけないと声をかけられ、なぜなのか理由を聞きます。

A: You have to open it by hand.
B: **Why is that?**
A: Because it's broken.

訳：A: 手動で開けなくちゃいけませんよ。
　　B: なぜですか？
　　A: 故障しているんですよ。

ONE MORE STEP

　丁寧に「なぜですか」と聞き返したいときは Why＋is that?。「なんで」＝ Why? より、「え？　それはなぜですか？」＝ Why is that? の方が丁寧ということだ。突然何か質問されたときには、Why do you ask?（え？　どうしてそんなことを聞くんですか）という問い返し方がある。年齢などの個人的な情報を丁寧に尋ねるには、WH …? の文の先頭に、「ちょっとプライベートなことを聞きたいんですが」という意味合いで May I ask a personal question? を加えればよい。

EXERCISES

Why を使って下線部を英文にしよう。

A: そこに立たないほうがいいですよ。
B: <u>それはなぜですか。</u>
A: 鳥がいるからです。
B: どこに。

[解答例はp.100]

これは英語で何ていうのかな？

男の子がブロック遊びをしていたら、女の子が登園してきた。

こんにちは。

24
Hi!
こんにちは / どうも

KID

訳：A: こんにちは。
　　B: こんにちは。

Hi!

Hi!

POINT

　日本にある英会話の本ではこの Hi. はよく「やあ」と訳されているのだが、実際には Hi. は「やあ」みたいなマイナーなスラングのような表現ではない。Hi. はよく使われる重要なあいさつ。**日本語では「どうも」などにあたる。**人と会ったときの最初のひとことは Hi. I'm＋名前. がベストのあいさつかもしれない。アメリカ人の場合は赤の他人同士でも Hi. といい合う。日本人が対面するときに、自然に軽くお辞儀するのと同じように、アメリカなどでは Hi. と気軽にあいさつする。無口にならないように、必ずひとこと、Hi. とあいさつしよう。

BE CAREFUL

　あいさつの基本は、日本ではお辞儀、アメリカは Hi. といっても過言ではない。あなたの周りにも外国人と対面して、恥ずかしそうに笑顔で軽いお辞儀をしている人はいない？　もしかして Hi. といったら相手からダダーッとしゃべられてしまうと心配している人がいるかもしれない。相手のことはおかまいなしにしゃべる人には Excuse me. Would you please speak a little more slowly? といって、ゆっくりとしゃべってもらおう。

Stage 2
KID

Definition: Hi.（＋自分の名前）は人と会うたびに口にする、普通によく使われる「どうも」のようなあいさつ表現。「よろしく」は（It's）Nice to meet you.。

GROWN-UP It's nice to meet you.
はじめまして / よろしく

初対面のふたり。お互いにカジュアルな雰囲気であいさつを交わしています。

A: **Hi. I'm Bill.**
B: **Hi, Bill. I'm Tony. It's nice to meet you.**
A: **Nice to meet you too, Tony.**

訳：A: はじめまして。ビルです。
　　B: はじめまして、ビル。トニーです。よろしく。
　　A: よろしく、トニー。

ONE MORE STEP

　日本語で「はじめまして、佐藤健です」は英語では Hi. I'm Ken Sato. にあたる。英語の重要なマナーのひとつは、しゃべっている相手の名前を、ひんぱんに文の最後につけ加えること。特に「Nice to meet you＋相手の名前」はフレンドリーな雰囲気を作るマナー。Nice to meet you. の変形もついでに覚えておこう。初めて会った人には、It's nice to meet you. だけれども、2回目以降には、It's nice to see you.。別れる前に日本語では「では失礼します」というが、英語では、It was nice to meet (see) you. になる。

EXERCISES

Hi/nice を使って英文にしよう。
(1) A: どうも、ケンジといいます。
　　B: こんにちは、ケンジさん。よろしく。
(2) では、失礼します。

[解答例はp.100]

これは英語で何ていうのかな？
手を離れ、空に上っていってしまった風船。あきらめのひとこと。
ま、しょうがない

Oh, well.

ま、しょうがない

KID

"Oh, no."

"Oh, well."

訳：A: あーあ。
B: ま、しょうがない。

P O I N T

日本語の「ま、しょうがない」にあたる表現は英語にもある。**Oh, well. はわりと軽いハプニングに対して使う。**The Giants lost again.（ジャイアンツがまた負けた）といわれたときの反応の程度はさまざまだが、Oh, well.（ま、しょうがないんじゃない）という反応ももちろんありえる。軽いハプニングなので、半分笑うような表情とジェスチャーがふさわしい。もっと深刻なことだったら、「しょうがない」ですませず、What (else) can we do?（ほかに何かできることはないかな）といってみてもいいかも。

BE CAREFUL

日本人は「しょうがない」とあきらめるのが早いような気がする。逆にいえば私たち欧米人は日本人の目にはしつこく映るかもしれない。Oh, well.（ま、しょうがない）とか、There's nothing we can do.（もうやれることはないよ）といいたくなったとき、ちょっと欧米人に歩み寄るならば、Let's move on.（次に進もう）、What else can we do?（ほかに何か手はないか）のようにいってみるのもいいかもしれない。

Stage 2
KID

Definition: Oh, well. は、わりと軽いハプニングに対して、「ま、しょうがない」という気持ちを表す。「しょうがない……じゃあ、いいよ」なら Well... All right.。

GROWN-UP　Well... All right.
しょうがないなー。じゃあいいよ。

雪の朝。雪だるまを作りたいとせがむ男の子に、まだ眠たいお父さんが答えています。

A: Hey look! Snow!! Let's go build a snowman!

B: Well... All right.

訳：A: ねえ見てよ。雪だよ！　雪だるま作ろうよ！
　　B: しょうがないなー。じゃあいいよ。

ONE MORE STEP

　あっさり OK. や Yes. といってしまうより Well... All right. のほうが「じゃ、あなたのほうに合わせてあげるよ」というニュアンスを表すことができる。Would you come with me?（私といっしょに行っていただけませんか）といわれて、「忙しいのに、でもいいよ。行ってあげるよ」なら Well... All right. でよい。しかし「いいよ。喜んで行くよ」なら Sure. や OK. といおう。ダメな場合なら I'm sorry I can't. といえばいい。その他の「しょうがない」は p.188 参照。

EXERCISES

Oh, well. などを使って英文にしよう。
(1) [宝くじが外れて] しょうがないなー。
(2) [お金を金曜日まで貸してと頼まれて] ん……わかった。いいよ。
(3) [ミーティングを6時にしてくれる?] しょうがないな……いいよ。

[解答例は p.100]

これは英語で何ていうのかな？

お母さんが子どもに、今日の幼稚園の様子を聞いている。

今日はどうだった？

26 How was...?
……はどうだった？

KID

How was your day?

OK.

訳：A: 今日はどうだった？　B: うん（よかったよ）。

POINT

　日本では、子どもが帰ってきたときに「ただいま」、「お帰りなさい」というように、アメリカでは、"How was your day?" "OK." が日常的に使われる。映画の帰りなら How was the movie? といえる。テニスの試合からなら How was your tennis match?。答え方はまず Good. などの形容詞一語。それから、Good. の後に I lost, but I had a good time.（よかったよ。負けたけど、楽しかったよ）のように話がはずむものだ。

BE CAREFUL

　「どうだった？」と聞きたいときに、日本人の多くはなぜか、How is...?、How was...? のかわりに、How about...? と間違っていってしまう。「どう？」といいたいときには、なるべく How is...? か How was...? を使うとハズレは少なくなるだろう。例えば、「ロンドンの気候は今どうですか」と聞きたいときには、How is...? を使って、*How is* the weather in London now? といえる。

Stage 2 KID

Definition: 「……はどう？」なら How is...?、過去形なら How was...?。特に「どう」と話を切り出すときに How about...?を使わないように。

GROWN-UP How do you like...?
……はどうですか？

新幹線で乗り合わせた日本人と外国人。外国人に日本の印象を尋ねています。

A: **How do you like** Japan?
B: It has good points and bad points.

訳：A: 日本はどうですか？
　　B: いい点も悪い点もある。

ONE MORE STEP

在日外国人に対して、日本人がたびたび使う Do you like Japan? は間違いではないが、ちょっと不自然に感じる。自然な形は How do you like...? で、...の部分に、Japan とか Japanese food などが入る。例えば寿司が好きかどうかは、絶対に Can you eat sushi? とは聞かない。「寿司はどうですか？（好きですか？）」と聞きたいときには、*How do you like* sushi? が自然な言い方。しかし「寿司をどうですか。食べに行きます？」と誘いたいときには、Why don't we have sushi? のようにいう (*p*. 173参照)。

EXERCISES

How を使って英文にしよう。
(1) ハワイはどうだった？
(2) ご家族はどうなさってる？
(3) 日本料理はだいじょうぶ？

これは英語で何ていうのかな？

子どもがお母さんに、今晩の夕食は「パンケーキはどう？」と提案。

パンケーキはどう？

[解答例は*p*.100]

How about...?

じゃあ……は？

KID

What should I make for dinner?

How about pancakes?

訳：A: 夕食は何にしようかしら。
　　B: じゃあ、パンケーキはどう？

POINT

　How about...? は英語らしい表現だが、実は使えるシチュエーションは限られる。話を切り出すときに How about...? を使うのは唐突で、普通は**聞き返すときにしか使わない**。つまり、How about lunch? とはいわず、Why don't we go to lunch.（ランチに行きましょうか）などという。そういわれたときに、*How about* the Chinese restaurant on the corner?（じゃあ、角の中華レストランはどう？）などと聞き返しつつ提案する場合に使うのが適切だ。

BE CAREFUL

How about...? の使いすぎに注意。「ランチはどう？」と誘うのは、Let's go to lunch. または Why don't we go to lunch?、「ランチはどうだった？」は How was lunch?。ある話の流れの中で聞き返すときには How about...? といえる。例えば、Where are you from?（どこのご出身ですか）と聞かれて、Texas. How about you?（テキサスです。あなたは？）と聞き返すときに使える。

Stage 2
KID

Definition: How about...? は相手のことばを受けて、「じゃあ……はどうですか」と何かを提案するときや、聞き返すときにしか使わない。

GROWN-UP　How about -ing?
じゃあ……でもすればどう？

カノジョを怒らせてしまった男性。女性の友人は、花でも贈ったら？と提案しています。

A: My girlfriend is really mad, because I cancelled our date. What should I do?

B: **How about send*ing* flowers?**

訳：A: デートをキャンセルしちゃったもんで、彼女がメチャクチャ怒っちゃって……。どうしたらいいんだろう。
　　B: 花でも贈れば？

ONE MORE STEP

相手が「どうしよう、どうしよう？」と困っているときに、「じゃあ、こうすれば」と提案する感じで How about...? を使うことができる。案を出すときの有効な形のひとつだ。もう少しレベルアップした形が How about -ing? だ。例えば「今度のパーティーはどこでやろうか」Where should I have the party? なら、「近所のレストランはどう？」How about hav*ing* it at a restaurant in the neighborhood? といえる。お金の交渉をするときにも、How about mak*ing* the price $65? (65ドルにしてはどうですか) などと使える。

EXERCISES

How about を使って英文にしよう。
(1) [どこから来たの、と尋ねられ] 日本から来ました。あなたは？
(2) [結婚式に出席するんだけどタキシードがない、と相談され] レンタルしてはどう？

[解答例は p.100]

友だちの占いを聞いて、自分も将来を占ってほしくなった。

私はどうなるの？

これは英語で何ていうのかな？

What about...?

……はどうなるの？/……はどうなってるの？

KID

What about me?

You'll be a singer in the future.

訳：A: あなたは将来歌手になるよ。
B: じゃあ私はどうなの？

POINT

　What about me? のニュアンスは「ちょっと待って！　私はどうなの？」。例えば、キャンプなどで仕事の分担の話をしているときに、「じゃあ私はどういう仕事をしたらいいの？」と聞きたいときには、What about me? でいい。海外ツアーで物が配られている最中に、自分がまだもらっていないなら、What about me? といえば、その物をもらえる。「荷物はいったいどうなってるの？」は What about my bags? という。

BE CAREFUL

　What about...? と How about...? は、まず話の流れの中で使うこと。話題が決まった後にそれに対して使う。きつい顔や無表情でいわないこと。What about...? は、軽く注意したり、クレームをつけたりするときにもよく使う。例えば、海外旅行のツアーでは Excuse me. What about breakfast?（あれ？　朝ご飯は？）などといえる。

TRACK・15

Stage 2
KID

Definition: What about...? は、話の流れの中で「ちょっと待って？ ……はどうなるの？」という感じで指摘したり、クレームをつけたりするのに使われる。

GROWN-UP What about your...?
あなたの……はどうなるの？

夫が突然、「エベレストに登る」と宣言。奥さんは「仕事はどうなるの」と聞いています。

A: I've decided to climb Mount Everest.

B: **What about your** job?

訳：A: エベレストに登ることにした。
　　B: 仕事はどうするの？

ONE MORE STEP

　What about...? は、自分以外の人やものを気にしていることを表す表現としても使える。例えばコンサートへ出かけるところで What about the tickets?（チケットは？）や What about your glasses?（メガネは？）といって、**相手が忘れずに用意したかどうかを確認できる**。また、相手が衝動買いしそうなときには What about your savings account?（預金の残高は？）といって**注意することができる**。また、ランニングをしようとする人に、「足を痛めてるんでしょう。どうするの」What about your foot? と尋ねることもできる。

EXERCISES

What about...? を使って英文にしよう。
(1) 車はどうする？（＝駐車できる？）
(2) サリーちゃんはどうするの。
(3) 朝食はどうする。

[解答例はp.100]

これは英語で何ていうのかな？

ひそひそ話をしているところへ割って入っていうことば。

僕にも教えて。

29 Tell me too.

私にも教えて

KID

「Tell me too.」

訳：僕にも教えて。

POINT

Tell me... は命令形だが、*Tell me* your favorite color.（あなたの好きな色を教えて）のように、相手に興味を示して、「ね、教えて」という感じでいうならば、相手に対してまったく失礼はない。ただ、それ以外の場合は、Would you...? を頭に置いて、*Would you tell me* your confirmation number?（予約番号を教えていただけますか）のように使う。

この「教えて」という意味では、Teach me. はあまり使わない。Teach me. だと「指導してくださいますか」と受け取られる。

BE CAREFUL

命令形の先頭に Would you...? をつけると丁寧な依頼になる。Remember this.（これを覚えて）、*Would you* remember this?（これを覚えておいてくれますか?）のちがいだ。相手に興味を示しているのなら、Tell me about your home town. のように Would you...? は不要。しかし、「ファックス番号を教えて」のようにお願いするなら *Would you* tell me your fax number?。

Stage 2
KID

Definition: Tell me (about) ... は相手に興味を示して、「ね、……のこと教えて」というとき。それ以外に情報を求めるときには、ソフトに Would you tell me...?。

GROWN-UP　Tell me about...
……について教えて

バーのカウンターで隣り合わせたふたり。一方が、相手の会社について尋ねています。

A: **Tell me about** your company.
B: Well, it's a small advertising agency.

訳：A: あなたの会社について教えてください。
　　B: 小さな広告代理店ですよ。

ONE MORE STEP

英会話は、英語だけができればいいというものではない。会話にはエチケットが必要だ。聞かれたことに答えるばかりではなく、**自分が相手に対して関心をもっていることを示しながら、相手にも楽しくしゃべらせることは大切なエチケット**だ。特に初心者は聞かれて答えるのに精一杯で、聞かれっぱなしになってしまう。この Tell me about your... に family、parents、hometown、high school、boyfriend などを続けて、相手のこともいろいろ聞いてみよう。

EXERCISES

Tell me を使って英文にしよう。
(1) 兄弟姉妹のこと、教えて。
(2) [友達が笑いながら話しているのを見て] 私にも教えて。
(3) 第２希望を教えてくれますか。

[解答例は p.100]

これは英語で何ていうのかな？

お母さんに、もう一回絵本を読んで聞かせて、とせがんでいる。

何があったかもう一回教えて。

30 Tell me what happened.

何があったか教えて

🙂 KID

Tell me what happened again.

...and then the bear went home. The end.

訳：A: そしてクマさんはおうちに帰りましたとさ。
B: 何があったかもう一回教えて。

POINT

　Tell me what happened again. は「何が起こったか、もう一回教えて」。先頭に Tell me があると、質問しようとしていることが明確になり、その後の部分を多少間違っても通じる確率は格段に上がる。同じ Tell me（教えて）を先頭に、5W1Hの疑問詞を続ければいろいろ応用ができる。Tell me what you like.（あなたが何を好きか教えて）、Tell me who she is.（彼女が誰なのか教えて）などだ。

✋ BE CAREFUL

　友達同士なら Tell me WH. だけでいいが、やはり自分のための情報を求めている立場なら、Would you を頭に置いて丁寧に聞こう。
A: Would you tell me what happened one more time?
B: OK. I said the store closed at six...
A: もう一回何があったか教えてくれますか。
B: いいですよ。お店は6時に閉まり……。

Stage 2
KID

Definition: Tell me what の what＋主語＋動詞 は他の疑問詞に置き換えが可能であり、さらに Tell me の前に Would you をつけると、丁寧な聞き方になる。

GROWN-UP Would you tell me...?
……を教えてくれますか

興奮して一生懸命語る男性に、テレビのリポーターがマイクを向けていっています。

A: I'm sorry. Would you tell me what happened one more time?
B: Sure. I saw a bright orange light...

訳：A: もう一度、何があったか話していただけますか。
　　B: もちろん。私は明るいオレンジ色の光を見ました……。

ONE MORE STEP

感じのいい表現 Would you tell me WH までをスラスラいえるように。そしてそのあとにくる文をいろいろと応用してみよう。例文、EXERCISES ともに、まるごと覚えよう。

(1) 誰が勝ったか教えてもらえますか。*Would you tell me* who won?
(2) どのようにこれをするのか教えてもらえますか。*Would you tell me* how to do this?
(3) いくらするのか教えてもらえますか。*Would you tell me* how much?

EXERCISES

tell me を使って英文にしよう。
(1) 今何時か教えてもらえますか。
(2) ABCホテルがどこにあるのか教えてもらえますか。
(3) ボストン行きの電車はどちらか教えてもらえますか。

[解答例はp.100]

これは英語で何ていうのかな？

お姉さんが切り分けて渡してくれたケーキは小さくて、不公平。

ズルーイ。

31 That's not + 形容詞
それって……じゃない

KID

Here.

That's not fair.

訳：A: はい。
　　B: ズルーイ。

POINT

　Mommy、Daddy、Sister、Brother、I、Youの次に、**子どもが早く使いこなせるようになる主語のある表現は That's...（＜それって＞……です）**。主語ぬきグセのある日本人に最適。例えば、日本語で「あっ！　エンギ悪い！」というときは、「それは」や「今やったことは」といった主語はつけないが、英語の場合は主語がないと不自然だ。とはいえ主語が見つかりにくい発想があるのも事実。そこで That's を利用して That's bad luck. のようにいう。あなたも That で英語らしい〔主語あり〕の文を口にできる (*p.*227 ❶参照)。

BE CAREFUL

　That's OK. は、英語でも自然な受け答えのひとつ。I'm OK. のように、主語は「私」の場合もある。字づらから、That's OK. は「それはOK」だと思いがちだが、実は、「（今、あなたが謝ってくださった件については）結構です（気にしないで）」という意味もある。

Stage 2
KID

Definition: That's not fair. は「ズルーイ」。That's... は「＜それって＞……です」。日本語では主語がない言い回しにも、英語では必ず主語をつける。

GROWN-UP That's really...
それってホントに……

バスを待つ列に男性が割り込んできました。怒ったおばさんに他の人も同意しています。

A: **That's really** rude.
B: I agree.

訳：A: ホントに失礼ね。
　　B: ほんとに。

ONE MORE STEP

「それって本当に……」と強調したいときには That's really... と That's の直後に really を置こう。「ホントに失礼ね」とガッツーンとやるひとことも覚えてほしい。英語で、はっきり物事をいうのは大切なことだ。それはクレームや文句の場合だけではない。例えば That's really beautiful! のように、ほめることも非常に重要だ。Oh, beautiful. なら、みなさん、だいたいいえると思うが、本来の英語のタッチで自然にほめたいのなら That's really... を使おう。really は very や so より使える範囲が広い。

EXERCISES

That's... を使って英文にしよう。
(1) [明日までに作ってくださいといわれ] 無理ですよ。
(2) [とても難しいことを頼まれて] 難しいよ。
(3) 残念だなあ。

[解答例はp.100]

オーブンから煙が出ている。子どもが「変なにおい」がするという。

クサーイ。

これは英語で何ていうのかな？

That ＋ 動詞

それって……

KID

That stinks!

訳：クサーイ。

POINT

　ここまで自然に、That... の応用ができるようになるとすごい。言い換えれば、本当の英語は、試験などで見かける「長文」のような難しい文章にしなくてもいい。短い文で確実に相手に通じさせることが先決。その鍵は主語が握る。この場合には That が便利。例えば、「そんなふうに触れると痛いよ」を The way you touch... のように考えることは不要で、*That* hurts. というだけでよい。ほかの That＋動詞の代表的な表現は *p.*228を参照のこと。

BE CAREFUL

　it を使いすぎないように。実は代名詞としては that が一番使われているかもしれない。
　それから that 以下の文を強調するとき、very much を最後につけ加えるのは不自然。一般動詞の場合は、That のあとに really を入れて、*That really* stinks. のようにいう。しかし be 動詞の場合は、例えば That's really *easy*. のようになる。

Stage 2
KID

Definition: That stinks. は「クサーイ」。That... を主語にしたシンプルな言い方に注目。「すごくクサーイ」なら really をはさんで That really stinks. となる。

GROWN-UP That looks... ……のようだ

水上スキーを勧められましたが、見るからに難しそうです。

That looks difficult.

訳：難しそうねえ。

ONE MORE STEP

他の動詞でもチャレンジしてみよう。特に「……そう」。日本語では「……そう」だが、英語はふたつ。「……そうに見える」だと That looks...。「……そうに聞こえる」なら That sounds...。例えば食事の場合。[Step 1] 話を聞いて、*That sounds* delicious.、[Step 2] 料理を見て、*That looks* delicious.、[Step 3] 食べた後に、That was delicious. となる。ちなみににおいなら、*That smells* delicious. という。

EXERCISES

That を使って英文にしよう。
(1) 楽しそうだね。
(2) 痛ーい。
(3) 気持ちいい。

［解答例はp.100］

これは英語で何ていうのかな？

キャンディーを買いたい子ども。お金がたりるか聞いている。

それでたりる？

Is that enough?

それでたりる？

KID

Is that enough?

訳：それでたりる？

P O I N T

　that は疑問文でも触れておかないと、ネイティブの誰でも知っている英語の表現とのギャップが出てくると思う。意味は「(それって……)ですか」と簡単にみえるが、これも主語ぬきグセのある日本人にお勧めの表現。イラストのシチュエーションは単に OK? と質問っぽくごまかしていったことのある人には特にお勧め。やはり **Is that** を先頭につけるかつけないかで響きの差が「素人」と「達人」くらい出る。Is that OK?（それでだいじょうぶ？）でももちろん伝わる。その他の重要な that 表現は *p.* 227を参照のこと。

BE CAREFUL

　英語は主語が必ず必要。主語を何にすればいいか困ったときに、thatを使う。例えば「たりるよ」なら「それって、たりてるよ」That's enough.、「私の？」なら「それって、私の？」Is *that* mine?、「だいじょうぶ？」なら「それでだいじょうぶ」Is that OK?、「以上です」なら「それで全部です」That's all. というように、日本語の発想も、常に主語アリの英語的発想に置き換えよう。

Stage 2
KID

Definition: Is that enough? は「たりる？」。Is that...? とthat を主語にした疑問文にも慣れよう。「本物？」でなく「それって本物？」＝Is that real? の発想へ。

GROWN-UP Is that really necessary? そこまでやる必要ある？

社長がテレビコマーシャルをしようと提案。部下は必要性を問いただしています。

A: Let's advertise on TV.
B: Is that really necessary?

訳：A: よーし、この商品のテレビコマーシャルをしよう。
　　B: ほんとに、そこまでやる必要がありますか？

ONE MORE STEP

　英語で念押しするのはいとも簡単だ。英語を難しく考えている人は、例えば「その店は閉店するっていうウワサがあるけど、本当に閉店するのかな」と尋ねたい場合、I wonder if that store... などといったような長い出だしの文をいおうとしてしまいがちだ。でも、それでは「瞬発力」は発揮できない。Is that really...? の言い回しを使えば確認することができるのだから、この場合はシンプルに Is that store really closing? と聞けばよい。また、「価値がわからないから、私、値段のことが心配だわ」なら Is that really a good price? という。

EXERCISES

Is that...? を使って英文にしよう。
(1) そうなの？／それでいいんですか。
(2) それで最終決定ですか。
(3) ホントにそれ以上安くならないの？

[解答例はp.100]

これは英語で何ていうのかな？

男の子がキャンプでの出来事をお母さんに一生懸命に話している。

その後、……。

34 after that
その後……

KID

> After that, I went swimming. After that, I rode a horse. And after that...

訳：その後、泳ぎに行って、その後、馬に乗って、その後……。

POINT

英会話が少しできるようになると、いずれ after that を使うようになる。なぜなら、1文で終わらせるのではなく複数の文を使うようになり、それに伴って**物事の順番をはっきりさせる必要が出てくる**からだ。文の最初か最後に after that や類語の and then（その後）か before that（その前）をつけること。学校で長文を作らされたり、following などややこしい表現を習ったかもしれないが、エピソードやハプニングを説明するなら、before that と after that だけでだいじょうぶだ。

BE CAREFUL

英語が通じない大きな原因は、エピソードなどをひとことでいおうとするから。例えば、「ロイヤル劇場で大きなミュージカルのオーディションがあったけど落ちた」なら、At the Royal Theater audition, I ... でなく、単文を連続させて説明しよう。There will be a big musical at the Royal Theater. I went to that audition. After that, I got a call. They said I didn't get the job. After that, I was sad. のように。

Stage 2
KID

Definition: after that（その後で）と before that（その前は）は、エピソードやハプニングを順序立てて話すときに、必要な表現だ。

GROWN-UP　before that　その前に

警察の取調室。アリバイを詰問された容疑者は「わからない」と答えています。

A: What did you do before that?
B: I'm not sure.

訳：A: で、その前はどうしてたんだ。
　　B: わからない。

ONE MORE STEP

　ネイティブならいわずもがなの語順のルール。日本語とは逆だが、英文では時間と場所を表すことばは文の最後にくるということだ。ただし before that は after that と同様、つなぎのことばとして使われているので例外。文頭でも文末でも使える。例えば I got a call from Jane. *Before that* I got a call from Jane's boyfriend.（ジェーンから電話をもらった。その前にはジェーンの彼氏から電話があった）のように、話をつなげる際にとても便利である。

EXERCISES

after that / before that を使って英文にしよう。
(1) その後、どうしたの？
(2) その後、電話してくれますか。
(3) その前におじいさんにあいさつをしなくちゃ。

[解答例はp.100]

これは英語で何ていうのかな？

部屋を片づけるようにいわれたけれど、子どもはやりたくない。

いやだ！やりたくない。

35 I don't feel like it.
いやだ！／やりたくない／ちょっとその気になれないよ

KID

I don't feel like it.

Billy, put your toys away.

訳：A: ビリー、おもちゃを片づけなさい。
　　B: いやだ！

POINT

　I don't feel like it. の発音は、「アイドンフィラッキッ」に近い。日本とちょっとちがって、英語の場合は断わったら、その後、理由をいうのが習慣。例えば、「今はいやよ」のあとに、I have a headache right now, so I'll do it later.（頭痛がするので、あとでね）。

BE CAREFUL

I don't feel like it. はきついことばにもなるからその前に I'm sorry をつける。「ディスコへ行く？」Do you wanna go to a disco? といわれて、「今その気分じゃない」というときには I'm sorry I don't feel like it.、また、しつこいセールスマンに、「美顔術の特別キャンペーンを……」We're having a special campaign for facials... といわれて、I don't feel like it. と断ることができる。もっと丁寧に断るときには I'd rather not.（*p.*175参照）。

Stage 2
KID

Definition: I don't feel like it. は「ちょっとやりたくない気分」。it のかわりに -ing を続けると「今……する気分じゃない」。前に I'm sorry をつけるとソフトになる。

GROWN-UP I don't feel like ＋動名詞
ちょっと……する気分じゃない

女の子が泣いています。友だちから理由を聞かれたけれど、今は答えたくありません。

A: What's wrong?

B: I don't feel like talking right now.

訳：A: どうしたの。
　　B: 今は話したくないの。

ONE MORE STEP

　I don't feel like のあとに -ing をつけると「……する気分ではない」と意味をふくらませることができる。友達同士ではよく使う言い方だ。例：*I don't feel like* cooking tonight. Let's go to a Japanese restaurant for dinner.（今夜料理をする気分じゃないの。夕食は和食のレストランに行こうよ）、*I don't feel like having* Japanese food. How about Chinese?（和食が食べたい気分じゃないな。中華はどう？）、Ok. But *I don't feel like waiting* a long time for a table.（いいわよ。でも席に着くのに長いこと待ちたくはないわね）。

EXERCISES

I don' feel like... を使って英文にしよう。
(1) 今、電話する気分じゃない。
(2) テレビは見たくないね。
(3) 今夜はそんな気になれないね。

[解答例は p.100]

これは英語で何ていうのかな？

仲のよいカップル。男の子が女の子に「キミ、いくつ？」と質問。

何歳？

36 How old are you?
何歳？

KID

> How old are you?

訳：何歳？

P O I N T

　How old ...? は大事な構文だ。まず、are you? の部分を is this? などに換えて、とても便利なことばに変身させることができる（右ページ参照）。それからもう一段階ステップアップすると、How old の old をちがう形容詞に換えて、How *tall* are you? (身長はいくつ？)、How *hungry* are you now? (今、どのくらいおなかがすいてるの？)、How *big* is your apartment? (君のマンションはどのくらい広い？〔注：部屋の"広さ"には wide は使わない〕) などといえる。

BE CAREFUL

　唐突に「どこの党を支持していますか」や「どの宗教に入ってる？」のような質問をするのは相手に失礼である。しかし話の流れに「宗教」や「政治」があると尋ねやすい。同じようにいきなり How old are you? と相手の年齢を聞くのは失礼だが、話に「年」や「誕生日のパーティー」などのような自然の流れがある場合にはだいじょうぶだ。そのときには頭に May I ask... をつけて、May I ask how old you are? といってみよう。

Stage 2
KID

Definition: How old are you? は単純に「きみ、いくつ？」だが、How old is this? や How hungry are you? と応用して、バリエーションが広がる言い方だ。

GROWN-UP How old is this?
これは築何年ですか

クモの巣の張った、古い不気味な家の前。お客が不動産屋に質問しています。

A: OK. Here is the property.
B: **How old is this** house?

訳：A: さあ、ここが物件です。
　　B: この家は建ってどのくらいになるんですか。

ONE MORE STEP

　How old のあとに are you? でなく is this? を入れると、いろいろなことを尋ねることができる。上の会話例の How old is this? は文脈によって日本語では、「これっていつのもの？」、「賞味期限切れてるんじゃない？」、「この家、建ってどのくらいになるんですかね？」などの意味になる。また、「このワインって何年もの？」は How old is this wine? ということができる。How far is the station? といえば、「駅って結構遠いの？」と間接的に聞ける。

EXERCISES

How old is...? を使って英文にしよう。
(1) これはいつからですか。
(2) この問題はいつから。
(3) この会社はできたばかり？

[解答例はp.100]

これは英語で何ていうのかな？

大泣きしている男の子を見て、女の子が心配そうに声をかける。

どうしたの？

37 What's wrong?
どうしたの？

KID

> What's wrong?

訳：どうしたの？

POINT

What's wrong? は相手の様子がおかしいときに、その人に対して直接使う。What's the matter? も同じ。僕が言い慣れているのは What's wrong? のほう。一方、うれしそうな様子の人に対して、日本語では「どうしたの」と尋ねるが、英語ではその場合、What's wrong? ではなく、You look happy. や Why are you smiling? などという。

BE CAREFUL

軽い調子の「どうしたの」は What happened? ではない。部屋に入るとみんなが「キャー」と叫んでいるような場合なら、「え？ 何があったの」What happened? という。つまり、よっぽど何かがないと What happened? は使えない。最も万能性があり、使い勝手がいいのは What's wrong? だ。しかし、What's wrong with you? と with you をつけていうと、まるで責めているようにも聞こえるので注意しよう。

TRACK・20

Stage 2
KID

Definition: 意味:「どうしたの?」、発音:ワツ ロン?(二拍)、メソメソあるいはボーッとしている人にいうことば。「……はどうしたの?」は What's wrong with...?。

GROWN-UP What's wrong with...?
……はどうしたんだろう

コンピューターの画面が変。コンセントが抜けているのに気づかない人が尋ねています。

A: What's wrong with this?
B: It's not plugged in.

訳:A: これは何がいけないの?
　　B: コンセントが抜けているよ。

ONE MORE STEP

　第三者や他のものについて「どうしたの」と聞きたいときには What's wrong のあとに with ... を続ける。What's wrong with this?「どうしたの? これ?」という順番で覚えておこう。「すみません。この券売機を使ってみたんですけど、どうも壊れているようです」。このように何かが故障しているような場合は、簡単な裏技を使って、それを指差して、*What's wrong with* this? というだけでいい。勘のいい人ならもうわかったと思うが with のあとには人(名前)でも書類でも、いろいろなものをもってくることができる。

EXERCISES

What's wrong with...? を使って英文にしよう。
(1) 今日はボスはどうしたの。
(2) プリンターがどうかしたの。
(3) このアイディアのどこがいけないの?

[解答例はp.100]

これは英語で何ていうのかな?

女の子がバスルームから手を出して、「タオルを取って来て!」。

お母さん、タオル!

38 I need...
……ちょうだい/……をお願いします

KID

> Mom! I need a towel!

訳：お母さん、タオル！

POINT

I need は物がほしいときに「……がいるんですが」とか「……をお願いします」という意味で用いる。発音は「アイニダ＋お願いしたいもの(towel)」。同じ「ほしい」でも I want... はわがままな感じがする(p.46参照)。I need... は I want... よりソフトでいい。また要求をよりストレートに伝える丁寧ないい方は、I'd like...。例えば、上司に休暇の申請をするときは、I'd like a vacation. のほうが自分の要求をはっきり示せる。最もソフトなのは May I have... (p.57参照)。

BE CAREFUL

I need... を日本語に訳すときには、「……が必要」ではない。自然な日本語ではないから余計に日本人はこの I need... を使えない。I need... は「……がないと困るよ」「……をお願いします」くらいの意味でよく使われる。例えば、「バンドエイド」。手を切って I need a band-aid. という場合、何と訳す？ 「必要です」はヘン。映画でそういう字幕を見たことない！ 「バンドエイド、お願いします」で覚えよう。

Stage 2
KID

Definition: I need... は「……がいるんですけど」や「……をお願いします」という意味。特に絶対に必要なときに使う。「……しなくては」は I need to 動詞。

GROWN-UP I need to...
……しなくては/……しなくちゃ

仕事をさぼって喫茶店で休憩しているビジネスマン。そろそろオフィスに戻る時間です。

A: **I need to** get back to the office.

B: Yeah, me too.

訳：A: 会社に戻らなくては。
　　B: 僕もだ。

ONE MORE STEP

　I need to go. は「行かなくちゃ」。こういう場合には must を使わない。普通の会話では、現在 must はほとんど使われていない。「……しなくちゃいけない」や「……しなくちゃ」というときには、ほとんどの場合 have to... または need to... という。どちらかというと have to... のほうが need to... よりも意味が若干強い。I *have* to go home. だと「今、帰らなくちゃ」、I *need to* go home. は「そろそろ帰らなくちゃ」というニュアンスの差がある。

EXERCISES

I need を使って英文にしよう。
(1) もっと時間をください。
(2) ベビーシッターに電話しなくちゃ。
(3) 銀行に行かなくては。

[解答例はp.100]

これは英語で何ていうのかな？

トイレに行きたい子ども。お母さんの注意を引いて訴えている。

おしっこ。

I have to...
……しなくちゃ/……しなきゃいけない

KID

I have to pee.

訳：おしっこ。

POINT

　have to... の意味は、イントネーションによって、軽い調子の「……しなくちゃ」から、「……しなければいけません」まで幅広い。一方で、must は現代英語では「……しなければならない」という意味では、ほとんど使わなくなった。I must go home. は「帰らなくちゃ」として通じるが、英語としてはネイティブの言い方ではない感じ。それから前ページでも説明したが、have to... は need to... より意味が強い。ちなみに I have to ＋の発音は「アイッフタ＋(動詞)」。

BE CAREFUL

　「……しなければ」といいたいときに、must を使ってしまわないこと。「もっと勉強しなきゃいけない」といいたいときに、must を使うのは自然ではない。I have to study more. というのが自然だ。have to... の俗語は I gotta＋動詞。発音は「アイガタ」で意味は「……しなきゃ」。だから I gotta study more. といってもよい。gotta のほうが have to... というよりも親しい感じになる。

Stage 2
KID

Definition: have to... は「……しなくちゃ」という軽い感じから、「……しなければいけません」というとても強い感じまで、幅広い意味で使われる。

GROWN-UP You don't have to...
……しなくていいよ

寿司桶いっぱいのお寿司。驚いている女性に、もてなした人がいっています。

You don't have to eat it all.

訳：全部食べなくてもいいのよ。

ONE MORE STEP

　You don't have to... は「……しなくていいよ」と覚えよう。上のイラストのような場面では、直訳で Not all eat OK. といっても通じない。この You don't have to... は「この列で待たなくていいよ」You don't have to wait in this line. や「サービスよ」You don't have to pay for this. あるいは「その鈍行列車に乗らなくていいよ」You don't have to take that slow train. など、気配りの表現として使い道が広い。

　ちなみに左のイラストは子どものことば。大人なら I have to go to the bathroom. という。

EXERCISES

have to... を使って英文にしよう。
(1) [ああー、もうすぐ3時になっちゃう] 銀行へ行かなくちゃ！
(2) はしを使わなくてもいいよ。
(3) 金曜日までに駐車違反の罰金を払わないと。

［解答例はp.100］

これは英語で何ていうのかな？

部屋を片づけるようにいっているお母さんに、子どもが尋ねている

やらなくちゃいけないの？

Do I have to?
やらなきゃいけないの？ / しないとだめ？

KID

Do I have to?

Clean your room first!

訳：A: まずお部屋を片づけなさい！
　　B: やらなくちゃいけないの？

POINT

　Do I have to? は「しなきゃいけないの？」という意味。Do I have to の発音は「デュアイハフタ？」に近い。ポイントは一気にいうこと。無理なことを頼まれたとき、例えば、飛行機の中で、スチュワーデスに Would you move to that seat? と頼まれたときに、Do I have to? と聞き返せば、No. に近い返事をすることになる。また、いやなことを頼まれて、時間を稼ぎたいときに、「今やらなくちゃいけないの」Do I have to now? ともいえる。

BE CAREFUL

　素直に相手の話を聞くのはよいことだが、やりたくないことをやれといわれたら、ちゃんということ。しかし、Please do this. といわれてただ No. というのは相手に失礼。Do we have to? と答えれば、「決まりですか」と相手に聞き返すことになり、No. という意志を間接的に伝えられるから、効果的に断れる。また、*Do I have to* give my name? は（名乗らなくてはいけませんか/匿名でお願いします）。

Stage 2
KID

Definition: Do I have to? (やらなければならないの？)は、いやなことに対して、間接的に No. といえる。Do I have to now? は時間を稼ぎたいときに使える。

GROWN-UP Do we have to...?
……しなくちゃいけないの？

プールのカウンター。スイミングキャップが必要かどうか係の人に聞いています。

A: **Do we have to** wear a swimming cap?

B: Yes. Would you like to rent one?

訳：A: スイミングキャップをかぶらなければならないですか。
　　B: はい。ひとつお借りになりますか。

ONE MORE STEP

　Do I have to...? を使えば、「私も会議に出席することになっていますか？」 *Do I have to* be at the meeting too? のように、頼まれたこと、あるいは自分のやらなければならないことをスマートに確認できる。また、主語を we にすると、ルールを確認したり、教えてもらうのに最適な表現になる。「この民宿の門限は12時？」 *Do we have to* come back before midnight? あるいは「こっちの列で待たなくちゃいけないの？」 Do we have to wait in this line? などと、いろいろな決まりについて尋ねてみよう。

EXERCISES

Do I have to...? を使って英文にしよう。
(1) 今日やらなきゃだめかな。
(2) 税金、納めなきゃだめなの。
(3) この電話ってゼロ発信？
(4) 記入しなきゃいけないのはこっち、それともこっち？

［解答例は*p.*100］

これは英語で何ていうのかな？

結婚式で指輪の箱を持つ男の子。どうすればいいのかわからない。

何をしなきゃいけないの？

EXERCISESの解答例

21. *p.*61　(1)What's this mean?　(2)What's "NWA" mean?

22. *p.*63　(1)We are meeting at seven, right?　(2)You love me, right?　(3)It's a beautiful day, isn't it?

23. *p.*65　A: You shouldn't stand there.　B: <u>Why is that?</u>　A: Because of the birds.　B: Where?

24. *p.*67　(1)A: Hi. I'm Kenji. B: Hi, Kenji. It's nice to meet you.　(2)It was nice to meet you.

25. *p.*69　(1)Oh, well.　(2)Well... All right.　(3)Well...All right.

26. *p.*71　(1)How was Hawaii?　(2)How is your family?　(3)How do you like Japanese food?

27. *p.*73　(1)I'm from Japan. How about you?　(2)How about renting a tuxedo?

28. *p.*75　(1)What about the car?　(2)What about Sally?　(3)What about breakfast?

29. *p.*77　(1)Tell me about your brothers and sisters.　(2)Tell me too.　(3)Would you tell me your second choice?

30. *p.*79　(1)Would you tell me what time it is?　(2)Would you tell me where the ABC hotel is?　(3)Would you tell me which train is for Boston?

31. *p.*81　(1)That's impossible.　(2)That's difficult.　(3)That's too bad.

32. *p.*83　(1)That sounds fun./That looks fun.　(2)That hurts.　(3)That feels good.

33. *p.*85　(1)Is that right?　(2)Is that final?　(3)Is that really the best price?

34. *p.*87　(1)What did you do after that?　(2)Would you call me after that?　(3)Before that you have to say hello to your grandfather.

35. *p.*89　(1)I don't feel like calling now.　(2)I don't feel like watching TV.　(3)I don't feel like it tonight.

36. *p.*91　(1)How old is this?　(2)How old is this problem?　(3)How old is this company?

37. *p.*93　(1)What's wrong with the boss today?　(2)What's wrong with the printer?　(3)What's wrong with this idea?

38. *p.*95　(1)I need more time.　(2)I need to call a babysitter.　(3)I need to go to the bank.

39. *p.*97　(1)[Oh! It's almost three!!] I have to go to the bank.　(2)You don't have to use chopsticks.　(3)I have to pay this parking ticket by Friday.

40. *p.*99　(1)Do I have to today?　(2)Do I have to pay tax?　(3)Do I have to dial "0" first?　(4)Do I have to fill out this one or this one?

> 何をしなきゃいけないの？

結婚式で何をしていいかわからなくなってしまいました。英語でいうと……。

Stage 3
CHILD

元気よく **Sure.** と答えてお手伝いもできる、まだまだかわいい小学校低学年の表現です。

What do I have to do?

何をしなきゃいけないの？

CHILD

> May I have the ring?

> What do I have to do?

訳：A: 指輪をいただけますか。
B: 何をしなきゃいけないの？

POINT

　What do I have to do? は相手の助けを求める表現。単なる「確認」ではない。例えば、ビュッフェのレストランで会計やオーダーなどのシステムがわからないときに What do I have to do? とウエイターに聞く。文の最後に、場所、時間、モノを入れると、いろいろな場面で使える。例えば、「明日の朝の私の集合や移動はどうなっているの？」は What do I have to do tomorrow morning? だけでいい。「これで終わり？　やり残したことは？」なら What do we have to do next? という。

BE CAREFUL

　学校で教えられる must の不自然さは、特に疑問文で感じる。What must I do? はオカシイ。must を使っても意味は強くならない。have to でも十分強い。「私、しなきゃいけないの？」は Must I...? ではなく、Do I have to do...? (p.98参照)。先頭に5W1Hの疑問詞を置けば、右ページのようにいろいろなことがいえる。

Stage 3 CHILD

Definition: What do I have to do? は「何をしなければならないの？」と、相手に助けを求める表現。発音は「ワデュアイハフタ＋動詞？」。

GROWN-UP When do I have to...?
いつまでに……しなきゃいけないの？

オフィスで、資料を一杯抱えた人がボスに仕事の期限を尋ねています。

A: **When do I have to** finish this?

B: By this weekend.

訳：A：いつまでにこれを終わらせなければいけませんか？
　　B：今週の末まで。

ONE MORE STEP

Do I have to do...? は広く使える。先頭に 5W1H の疑問詞をいろいろ置いてみよう。例えば、スポーツジムでスタッフに、「このストレッチはどれくらいやらなきゃいけないの？」と聞きたいなら、*How long* do I have to do this? でいい。そして最後の do の部分もいろいろな動詞を入れ替えてみよう。「なんで払わなければいけないの？」なら Why do I have to *pay*?。「明日の朝は何を持って行かなければいけないの？」なら、What do I have to *bring* tomorrow morning? という。

EXERCISES

do I have to を使って英文にしよう。
(1) これをどうしなきゃいけないの。
(2) これをどこに送らなきゃいけないの。
(3) いつまで待たなきゃならないの。

[解答例は*p.*142]

これは英語で何ていうのかな？

お母さんにお手伝いを頼まれた女の子が笑顔で答えている。

いいよ。

Sure.

いいよ

CHILD

> Would you mix this?
>
> Sure.

訳：A: これ、混ぜてくれる？
　　B: いいよ。

POINT

　もし何かを頼まれて、フレンドリーに「いいよ」と引き受けるなら、Sure. が一番感じがいい。そこでYes. や OK. と答えると、「ま、いいよ」とちょっとやりたくないと受け取られるときがある。Sure. という返事は、以下の3つのケースで使う。(1) Would you...? (……をしてくれますか？) や Could/Can/Will you...? と頼まれて、「いいよ」と引き受ける。(2) May I take a picture? (写真撮ってもいい？) といわれて、「いいよ」と許可を与える。(3) Thanks. などとお礼をいわれて、「いいよ、どういたしまして」。

BE CAREFUL

　Yes, I will. や Yes, I do. のような受け答えは、ほとんど試験のマークシートでしか使わない。英語でも日本語でもひとことで答えたほうが自然。例えばDo you like reading books? (本を読むの、好き？) と聞かれたら、Yes. (うん) または No. (いや) と答える。余裕があればそのあと、I like TV better. (テレビが好き) とか It depends on the book. (本による) など補足するのが理想。

Stage 3 CHILD

Definition: Sure. は、相手に何かを頼まれて、進んで「いいよ」と引き受けるときに用いる。そのほか、許可を与えたり、どういたしましてというときに使う。

GROWN-UP My pleasure.
いつでもいいです／どういたしまして／よろこんで

図書館で調べ物の手伝いをしてくれた司書に、美人の博士がお礼をいっています。

A: **Thanks for your help.**
B: **My pleasure.**

訳：A:助けてくれて、ありがとうございます。
　　B:どういたしまして。

ONE MORE STEP

　英語のあいさつの基準のひとつは「フレンドリー」にやりとりができているかどうか。「もてなし」の精神に近いかも。代表的な「もてなし表現」のひとつが、Sure. である。Thanks. の受け答えとしては、You are welcome. より Sure. のほうが感じがいい。その気持ちをもっと強く表すなら、My pleasure.（いつでもいいよ）という。ところで、日本人も「どうもありがとうございます」といわれたとき、「どういたしまして」とはいわない気がする。「いいえ」や「とんでもないです」のほうが主流では？　その語感は、Sure. や My pleasure. に近い。

EXERCISES

Sure. / My pleasure. を使って英文にしよう。
(1) [日本語を教えたら Thanks. といわれて] いつでもどうぞ。
(2) [飛行機内で通路に出ようとしている窓側の人に May I? といわれて] いいよ。

[解答例はp.142]

これは英語で何ていうのかな？

たくさんあるアイスクリーム。どれが好きかなんてわからない。

ちょっとわからない。

I'm not sure.

ちょっとわからない

CHILD

(吹き出し) I'm not sure.
(吹き出し) What's your favorite ice cream?

訳：
A: 好きなアイスクリームは何？
B: わからない。

POINT

「ちょっとわからない」とソフトにいうには I'm not sure. が適切。発音は「アイナシュア」に近い。I'm not sure. が「知りたいんだけど、教えてくれる」というニュアンスに近いのに対して、I don't know. は「知ったことじゃない」と突っぱねたように聞こえる危険もある。「来週来るの？」Are you going to come next week? のように、まだわからない予定を聞かれたときには I'm not sure yet. と最後に yet. (まだわからないです) をつけよう。

BE CAREFUL

I don't know. をあんまり使わないように。例えば、「北京の人口は今どのくらい？」と聞かれて I don't know. と答えると、「そんなの知らないよ」という突き放した感じになる。一方、I'm not sure. と答えれば、「わからないけど、どのくらいなんでしょうね」のようなニュアンスになる。余裕があれば、「よくわからないけれど、たぶん……」I'm not sure, but maybe... と続けて話せばいい。

Stage 3 CHILD

Definition: I'm not sure. は「ちょっとわからない」とソフトに答えるとき。I'm not sure if... とすると「……かどうかわからない」という意味になる。

GROWN-UP I'm not sure if...
……かどうかちょっと自信がない

新しいビジネス相手の印象を聞かれ、「信用できるかわからない」と答えています。

A: What do you think about him?

B: Well, I'm not sure if we can trust him.

訳：A: 彼のこと、どう思う？
　　B: 彼を信じていいかどうか、わからない

ONE MORE STEP

もし「彼のこと、どう思う」という問いに対して、I don't know. とだけいうと、まるで自分は「人事」に関してちょっと苦手・無能力だといっているように聞こえる。せめて I don't know if...（……かどうかはわからない）、またはよりソフトな I'm not sure if... と答えよう。これはソフトに知らないというだけで終わらせず、はっきりしない点を明らかにしたり、問題点を定義したりするときの言い方。例えば、「予算が十分にあるかどうかが問題よ」なら *I'm not sure if* we have enough in the budget. という。

EXERCISES

not sure を使って英文にしよう。

(1) [あなたのご主人も行くの、と聞かれて] まだわからないわ。

(2) 私、小銭を十分に持っているか、ちょっとわからないな。

(3) これが当たってるのかどうか、ちょっとわかりません。

[解答例はp.142]

これは英語で何ていうのかな？

小学生ふたりの、別れ際のあいさつ。「またね」といっている。

またね

See you later.
またね／ではまた／ではどうも

CHILD

See you later.

See you.

訳：A: じゃあ、また。
　　B: またね。

POINT

See you later. はあまりにも頻繁に使われることから、日本語では「ではまたね」だけでなく、「ではどうも」「ご苦労様」「それじゃね」のようにいろいろに訳される。非常に万能性がある別れるときのことばだ。別に「あと」laterに会わなくても、もう会うことのない相手にも、あいさつの決まり文句として See you later. といえる。発音は「シュレッタ」に近い。避けたいのは、目上の人に See you. ということ。これは「んじゃ」くらいのカジュアルすぎるあいさつだ。

BE CAREFUL

無表情に Goodbye. というと「永遠にさようなら」という落ちついたトーンになり、たまに冷たく感じさせることもある。気軽に「では」と別れるときには Bye. または See you later.。「では失礼します」というときにはフォーマルに It was nice to see you.、英会話スクールでレッスンが終わって帰る前には See you next time.（また今度）などといおう。

Stage 3 CHILD

Definition: See you later. は万能の別れのあいさつ表現で、「ではまたね」「ではどうも」「ご苦労様」。See you in... は「……後にね」。そのとき、later/after は使わない。

GROWN-UP　See you in... では……後にまた

空港で、これから旅行へ行く相手に別れのあいさつをしています。

A: **See you in** two weeks.
B: Yeah, see you then.

訳：A: 2週間後にまた。
　　B: うん、じゃあまた。

ONE MORE STEP

「……後に」は later/after ではない。「2週間後に」というときの「……後」は *in* two weeks と in を使い、*after* two weeks とはいわない。Two weeks *later* はストーリーやエピソードを語るときに使う。例えば、Two weeks *later*, he found her number.「2週間後、彼は彼女の電話番号を見つけた」。「じゃ、また2時間後」なら See you in 2 hours.、「じゃあまたあさって」なら See you in two days.。曜日を入れる場合、「ではまた月曜日に」なら See you Monday. となり前置詞はいらない。返事は「ではその時にまた」なら See you then.。

EXERCISES

See you. を使って英文にしよう。
(1) [会社で同僚に] 失礼します。
(2) [その同僚の返事で] お疲れ様です。
(3) [水曜日に習い事がある人が] ではまた水曜日のレッスンよろしくお願いします。

[解答例はp.142]

これは英語で何ていうのかな？

傘を借りるなら、まず許可をとってからにしなよ、といっている。

……したほうがいいんじゃない

We should...
……したほうがいいよ

CHILD

"Let's use this."

"Wait... We should ask first."

訳：A: これ使おうよ。
B: ちょっと待って。まず聞いてみたほうがいいんじゃない。

POINT

should は「すべき」ではない。一番近い日本語はイラストのように、「……したほうがいい」である。We should.../I should... =「……したほうがいい」で覚えたほうが、日本語でいいたいことを正確に英語で表現できる。例：*I should call home.*（家に電話したほうがいい）、*We should* call first.（先に電話したほうがいいよ）。shall、had better、ought to... は覚えなくていい。瞬発力をもって、まずは should だけでいこう。

BE CAREFUL

You should... はたまに強制的な発言になることもあるので、知らない人にはいわないほうがいい。知らない人に「この袋を使ったら」といいたいときには、Why don't you use this bag? としたほうが自然。一方、親しい人や知り合いに対してなら、You should... とアドバイスするケースは多い。［例］*You should* see the fireworks festival in Kamakura.（鎌倉の花火大会は見たほうがいいですよ）。

Stage 3
CHILD

Definition: should は「すべき」ではない。We should.../I should...=「……したほうがいい」で覚えておこう。「……したらどう？」は Why don't you...?

GROWN-UP　Why don't you...?
……したらどうですか？/……したら？

靴を履くのに苦心している奥さんに、旦那さんが靴べらを差し出しています。

Why don't you use this?

訳：これを使ってみたら。

ONE MORE STEP

人に「……すればいいんじゃない」というときの基本は Why don't you...? だが、下の1)〜5)で整理しておこう。

1) ストレートに頼む：先頭に Please。*Please* use this.（これを使ってください）
2) ルールをいう：We *have to* use this.（これを使わなきゃいけない／これを使うことになっている）
3) 軽く勧める：*Why don't you* use this one?（こっちを使ったほうがいいんじゃない）
4) 丁寧に頼む：*Would you* use this?（これを使ってくれますか／使ってもらってもいい？）
5) 忠告・注意：We *should* use this one.（こっちを使ったほうがいい）

EXERCISES

We should / Why don't you...? を使って英文にしよう。
(1) 先に値段を聞いたほうがいいよ。
(2) タクシーで行くほうがいいよ。
(3) 鈴木さんに聞いたらどう？

［解答例は p.142］

これは英語で何ていうのかな？

鳴り続ける電話に出るべきかどうか、子どもがお母さんに聞く。

出たほうがいい？

46 Should I...?

……したほうがいい？

CHILD

Should I answer it?

訳：私、電話に出たほうがいい？

POINT

Should I / Should we ...? は、確認したいとき、指示がほしいとき、相談にのってほしいときに使う疑問文。例えば、「今、払ったほうがいい？」なら Should I pay now?。発音は「シュアイ＋(V)」に近い。should は「……するべき」という訳で覚えない。日本語の「べき」はあまり一般的ではないのに対し、この should は英会話で非常によく使うからだ。例えば、Should I call her? は「彼女に電話すべきですか」ではなく、「電話したほうがいい？」になる。

BE CAREFUL

Shall I / we...? は「……いたしましょうか」という意味になり、丁寧すぎてカジュアルな場面で使うとおかしくなってしまう。例えば、友達と歩いていて、1万円札が落ちているのを見つけたとき、冗談っぽくちょっと気取って「ともに一杯、参りましょうか」Shall we have a drink? というとユーモラスなニュアンスになる（もちろん、「警察に届けたほうがいい」We should give it to the police.）。

Stage 3 CHILD

Definition: Should I...? は相手の指示がほしいときに「……したほうがいい？」と尋ねる表現。Should we...? は「……しようか？」。

GROWN-UP Should we...? ……しようか？

メニューが全部中国語で読めないので、ウエイターに聞こうかと相談しています。

A: **Should we** ask the waiter?
B: Yeah.

訳：A: ウエイターに聞こうか？
　　B: ええ。

ONE MORE STEP

「こうしよう」は、Let's... だが、「こうしようか」は、Should we...?。「私たち……したほうがいい？」や「しようか」という意味になる。「この会社にちょっと営業をしたほうがいい？」は *Should we* approach this company?、「下の練習問題をやったほうがいい？」は *Should we* do the exercises below?。

おさらい　強い：　　　Let's go.（行こう）
　　　　　ソフト：　　Why don't we go?（行きませんか）
　　　　　確認・相談：Should we go?（行きましょうか）
　　　　　非常に丁寧：Shall we go?（参りましょうか）

EXERCISES

Should を使って英文にしよう。
(1) 髪を切ったほうがいい？
(2) 予約したほうがいい？
(3) 車で行ったほうがいい、それとも電車で行ったほうがいい？

[解答例はp.142]

これは英語で何ていうのかな？

女の子が鏡の前で、どの洋服を着るべきか迷っている。

何を着ればいいかしら？

What should I...?

何を……すればいい？

CHILD

What should I wear today?

訳：今日何を着ればいいかしら。

POINT

疑問詞＋should I...? は応用範囲が広い大切な表現。「どうしたらいいの？」と子どもがよく聞く質問。ちがう土地、文化に置かれたときにも役に立つ。「パーティーに何を着ていけばいい？」は What should I *wear* to the party?。wear のかわりに bring を用いれば What should I *bring*?（何を持っていったらいい？）、give を用いれば、What should I *give* her?（彼女に何をあげたらいい？）などといえる。

BE CAREFUL

英会話の上達のあかしは発音でも文法知識でもテストのスコアでもない。一つのターニングポイントは、質問できるようになること。初心者は、おそらく受験英語の副作用で、質問にきちんと答えようとするあまり、質問や聞き返しを忘れてしまうから、会話が続かない。この should を使った質問文や、How about you? などの聞き返し表現をマスターすると、英会話はすごく楽になる。

Stage 3
CHILD

Definition: What should I...? は何をどうすればよいのか迷ったときに使う必須表現。5W1Hを入れ替えればいろいろなことを尋ねられる。

GROWN-UP　Where should I...?
[どこに]……すればいいですか？

ホテルのベルボーイに、どこに車を停めればいいのか尋ねます。

Where should I park?

訳：どこに停めたらいい？

ONE MORE STEP

What 以外の疑問詞を入れていろいろ応用ができる表現。*Where* should I...? なら「どこに……すればいい？」。例えば、会社で同僚に燃えないゴミを「これはどこに捨てればいい？」と尋ねるなら *Where* should I throw this away? (捨てる＝ throw...away)。申込書の提出時期を確認するなら「いつ送ればいいですか」*When* should I send this to you?。また、食べ方がわからないときは「どうやって食べればいいの？」*How* should I eat this?。支払額を確かめるなら「いくら払えばよろしいですか」*How much* should I pay? だ。

EXERCISES

should を使って英文にしよう
(1) いつ電話すればいいの？
(2) 今夜、夕飯はどうしよう？
(3) これどうしたらいいかな？

これは英語で何ていうのかな？

雨なので出かけるのを延期しようという父親。息子は行きたい。

今日行くことになっていたじゃん。

[解答例は p.142]

48 We're supposed to...

……することになっているのに/……するはず

CHILD

A: Look at the rain. Let's go next week.
B: We're supposed to go today.

訳：A: 雨だよ。行くのは来週にしようよ。
B: 今日行くっていったじゃん。

POINT

　be supposed to＋動詞は、ほとんど予定がだめになりそうなときや、だめになったときに使う。be going to... と対比すると、例えば、「今日行くことになっている」なら I'm going to go today. で、「今日、行くことになっているのに/ 行くはずなのに……」なら I'm supposed to go today.。また、予定が入っていて誘いを断るときには、Sorry. *I'm supposed to* go to a baseball game with my father this Sunday.（ごめんなさい。日曜日は父と野球を見に行く予定です）のようにいえる。

BE CAREFUL

　be supposed to... は plan to... に近い。例えば、I *plan to* go to Texas for the football game.「アメフトの試合のためにテキサスへ行く予定だ」の plan to... はbe supposed to... に近い「一応予定では……だ」のニュアンス。予定ではなく、確実な未来については*p*.162のbe -ing や be going to を使う。例えば、*I'm going to* skip lunch today.「今日は昼食抜きにする」のようにいう。

Stage 3
CHILD

Definition: 「……するはずだったのに」と、物事が予定通りうまくいかないときなどに使う表現。「**be＋supposed to＋動詞**」と覚えておこう。

GROWN-UP　was supposed to...
……しているはずだったのに

待ち合わせをした女性がなかなか現れません。男性は不満そうにつぶやいています。

She was supposed to be here an hour ago.

訳：もう1時間前にここにいるはずなのに。

ONE MORE STEP

　　人が約束の時間より遅れているときにぴったりの表現が、人 was supposed to be＋場所。「8時にはそこについているはずだったんだけど、列車が遅れた」は、*I was supposed to* be there at eight, but the train was late. といえる。was supposed to be here は「出席するはずでしたが」という意味でも使う。また、「日曜日に動物園へ行くことになっていたが、疲れたからやめた」というときには、*I was supposed to* go to the zoo on Sunday, but I was tired, so I didn't go. などといえば説明できる。

EXERCISES

be supposed to を使い英文にしよう。
(1) 10時から仕事だけど、まだ眠いから、もう少し休んでいよう。
(2) 今夜は私たちの記念日よ。どこかに出かけるっていったじゃん。
(3) 今日は晴れになるかと思っているけど、ひと雨来そうだね。

[解答例は p.142]

これは英語で何ていうのかな？

三振してがっかりしている男の子を仲間が励ましている。

気にしないで……

Don't worry about it.
気にしないで/だいじょうぶ

CHILD

Don't worry about it.

I'm sorry I struck out.

訳：
A: 三振しちゃった。ごめん。
B: 気にしないで。

POINT

　Don't worry about it. の直訳は「心配ないよ、そんなこと」だが、ピッタリとくる日本語は「気にしないで」。Don't worry. で終わらせずに、about it を後ろにつけて、Don't worry about it. といおう。ちなみに「ドンマイ」とはいわない。例えば、相手が皿を落として割ってしまい、Oh, I'm so sorry! と心配そうにいわれたときには、Don't worry about it.「だいじょうぶよ」と慰める。

BE CAREFUL

　Don't worry. は「心配すんなよ！」や「心配し過ぎだよ！」のような強い口調になる。about it をつけよう。謝られて、「そんなのいいの」というときも、Don't worry about it. だ。「心配しなくていいのよ」や「だいじょうぶ」のつもりで、OK, OK, OK. といってしまう人もいるが、これは「わかった、わかった、わかった」という感じになるのでやめたほうがいい。Don't worry about it. は一般的な表現で、もっとカジュアルな表現としては、No problem. がある。

Stage 3
CHILD

Definition: Don't worry about it. は「だいじょうぶ/気にしないで」。Don't worry. としないこと。it の代わりに、what... だと「……のこと、気にしないで」。

GROWN-UP Don't worry about what... ……のことは気にしないで

デモ抗議を受けて落ち込んでいる政治家を、秘書が励ましています。

A: **Don't worry about what they say.**
B: **You're right.**

訳：A: 彼らのいっていることは気にしないで。
　　B: それはそうだね。

ONE MORE STEP

　上記の例文のように、疑問詞の 5W1H を使った言い方も試してみよう。*Don't worry about how much* you earn.（収入がどれだけあるかなんて気にしないでいいよ）。また、Don't worry about... は相手を慰めるときや、ゲストをもてなすときにも使う。例えば、パーティーで皿を下げようとした客には、*Don't worry about* the dishes.（お皿はそのままでいいですよ）といえる。余裕があれば Don't worry about のあとに -ing を続ける *Don't worry about* mak*ing* the bed.（ベッドメークはしなくていいです）のような言い方もお勧め。

EXERCISES

Don't worry about... を使って英文にしよう。
(1) 私のことは気にしなくていいよ。
(2) 近所の人たちは気にしないで。
(3) あんな人たちのこと、気にしないで。

[解答例は*p.142*]

これは英語で何ていうのかな？

友だちが新しいネックレスを見せてくれた。うらやましいのひとこと。

うらやましい！

You're lucky.

うらやましい！/ いいなあ……

CHILD

A: I got a new necklace.
B: You're lucky.

訳：A: 新しいネックレスもらった。
B: いいなあ！

POINT

You're lucky. で「幸運」というより、いやみなく、「うらやましい」気持ちを表現できる。例えば、子どもの My mom gives me 10 dollars every week. （ママが毎週10ドルくれるんだよ）という自慢への反応の「いいなあ！」が You're lucky. だ。ところで I'm so lucky. は「恵まれてる」や「感謝すべき」という意味合いだから最高のほめことばにもなる。例えば、結婚記念日に I'm so lucky. といえば、「本当にあなたに感謝している」という気持ちが伝わる。

BE CAREFUL

You're lucky. は「うらやましい」と覚える。これは「幸運」の意味だけではない。例えば、宝くじに当たった人には、まず、Congratulations!（おめでとう）といい、「運がいいね」You have great luck. という。また「うらやましい」といいたいときに I envy you を使う日本人が多いようだが、これは「しっと」などのネガティブな感情を表すことにもなるので、使わないほうがいい。

Stage 3 / CHILD

Definition: 「うらやましい！」とき、You're lucky. と受け答える。話を切り出すときには、You're lucky＋主語＋動詞で「……があるなんてうらやましい」。

GROWN-UP　You're lucky＋S＋V
……があるなんてうらやましい

友だちの旦那さんが育児にも家事にも協力的なのを見て、うらやましそうにいっています。

You're lucky he is your husband.

訳：彼がご主人だなんてうらやましいわ。

ONE MORE STEP

You're lucky (that) のあとに［主語＋動詞］を続けて、「……があって、いいな」という気持ちを表せる。that はあってもなくてもいい。「夜遅くまで出かけたりしてうらやましいな」は、*You're lucky* you can stay out late.。避けてほしい言い方は、I envy you because...。多くのネイティブスピーカーがこの表現を使わないのは、キリスト教の Do not envy your neighbor.（隣人をうらやむなかれ）というルールのためでもある。

EXERCISES

You're lucky を使って英文にしよう。
(1) 雨が降らなくてよかったね。
(2) 有休があるのってうらやましい。／上司が休みを取らせてくれるなんてうらやましいな。
(3) いまだに仕事があるなんてありがたいね。

［解答例はp.142］

これは英語で何ていうのかな？

ハチの巣をいたずらしている男の子に、女の子が逃げながらいう。

後悔すると思うよ。

51 You'll be sorry.
後悔する(と思う)よ

CHILD

"You'll be sorry."

訳：後悔する(と思う)よ。

POINT

You'll be sorry. は「後悔すると思うよ」という日本語とまったく同じ。反対語は You won't be sorry.（絶対に後悔しませんよ）とセールスマンが説得するときによくいうことばだ。単語だけをみると「後悔」は regret / remorse / sorrow など、結構難しいものがある。しかし、漢字のない英語は、単語ではなくフレーズが重要なので、sorry をうまく使ったフレーズで気持ちが伝わるかどうかがポイントになる。

BE CAREFUL

You'll be sorry. は必ずしも深刻な話についてのみ使う表現ではない。シチュエーションやイントネーションによって、軽くも重くもなる。酒をしこたま飲んでいる相手に対しては、ジョークっぽく You'll be sorry in the morning.（明日の朝、後悔するよ[二日酔いするからね]）といえる。日本語でいうと「あ〜あ、二日酔いになっても知らないよ」「勝手にしろ」という捨てゼリフ的なニュアンスにもなる表現だ。

Stage 3
CHILD

Definition: You'll be sorry. は文字通り「後悔しますよ」。反対語は You won't be sorry.（絶対に後悔はしませんよ）。「……だとまずいよ」は You'll be sorry if...。

GROWN-UP You'll be sorry if...
……だと後悔するぞ/……しないとまずいぞ

厳しいボスを背に仕事を怠けている人に、同僚が忠告しています。

You'll be sorry if you don't finish it today.

訳：今日中にこの仕事を終わらせないとまずいぞ。

ONE MORE STEP

　You'll be sorry if you don't... は「……しないと、後悔するよ」という意味。**語順は「後悔するよ、もし……したら」**。「あんまりたくさんのことを同時にやろうとしすぎると後悔するよ」は *You'll be sorry if you try to do too many things at once.* となる。少し工夫すれば、自分の場合でも使える。I'll be sorry if I don't... は「私、……しないと後悔するかも」。例えば、「今、あれをやらないとまずい（後で後悔しそう）」は *I'll be sorry if I don't do it now.* という。

EXERCISES

sorry を使って英文にしよう。
(1) すごく後悔すると思うよ。
(2) 絶対後悔させません。
(3) やらなきゃ後悔するぞ。
(4) これ以上飲むと、明日の朝後悔するな。

［解答例はp.142］

これは英語で何ていうのかな？

暑い日。男の子がプールへ行くことを思いついた。

よし、こうしよう。

123

52 I have an idea.

よし、こうしよう / ね、こうしない？

🎀 CHILD

Wow! It's hot!

I have an idea.

訳：A: ああ暑い。
　　B: そうだ！

POINT

I have an idea. は自分から会話の主導権を握る表現。日本的な感覚でいうと「我」が強くないと使えない。欧米の感覚ではこれくらいいわないと大人とはいえない。直訳は「アイディアがある」。友達同士で自分がやりたいことがあれば、この表現を使い、「こうしてみない？」という感じでいってみよう。例えばタクシーを使いたくないなら I have an idea. Let's take the bus and save money. という。

BE CAREFUL

日本人は英語について結構知っている。しかし細かい文法や語彙に悩み、結果的にはあまりしゃべらない。それを乗り越えるためには、自分の得意表現を増やそう。I have... を単純すぎると軽視しないで。I have a class this afternoon.（午後に授業がある）、I have bad allergies.（私、花粉症がひどいんです）ともいえるし、I have four people in my family.（4人家族だ）、I have a problem with my room key.（部屋の鍵が開かない）、I have a question for you.（聞きたいことがあるんですけど）など、いろいろなことを表せる。

TRACK・27

Stage 3
CHILD

Definition: I have an idea. は、自分から何かを積極的に提案するときにいうことば。ためらわずに会話の主導権を握ってみよう。

GROWN-UP I have an idea for...
……というのはどうかなあ

営業会議。成績を上げるためのアイディアを思いついたと発言しています。

I have an idea for improving our sales.

訳：営業成績を上げるための提案があるんですが。

ONE MORE STEP

　I have an idea for... は非常に論理的な言い方で、これからしゃべることを簡単に紹介できる。会話のテクニックとして、先にヘッドラインを持ってくる、つまり会話の「お膳立て」をするわけだ。例えば、休暇のプランとしてフロリダ旅行を提案するには、まず *I have an idea for* our vacation.、そのあと Let's go to Florida. と続ければよい。*I have an idea for* improving Japanese English education. Let's reform the test system.（日本の英語教育を改善するための提案があります。試験のシステムを改革しましょう）のようなこともいえる。

EXERCISES

I have an idea を使って英文にしよう。
(1) わが社のインターネットの存在をもっと強調するアイディアがあります。
(2) 営業成績の低下を食い止める案があります。

［解答例はp.142］

これは英語で何ていうのかな？
「ボーイフレンドにならない？」の質問に答えて。

考えとく。

Will you be my boyfriend?
☐ Yes.
☐ No.
☑ I'll think about it.

125

I'll think about it.

考えとく／考えておきます

CHILD 女の子が男の子にカードを渡しました。

I'll think about it.

Will you be my boyfriend?
☐ Yes.
☐ No.
☑ I'll think about it.

訳：考えておきます。

POINT

何か提案されて即答できないときの受け答えとして使う。例えば、Do you want to take a helicopter tour?（ヘリコプターツアーに行きたい？）と聞かれ、I'll think about it. という。これは英語の感覚では No. とはちがい、すこしは OK. の可能性がある。もし最初からそのツアーに行きたくなかったら I'm sorry. I'm not interested. とか、No thanks. と断る。Let me think about it. ともっとソフトにいうこともできる。

BE CAREFUL

「どちらがほしい？」と聞かれて即答できない場合、I don't know. より I'm not sure. という（p.106参照）。ウエイターやスチュワーデスに「どちらがいいですか」と聞かれたときひとこともなく、隣の人に「ね、どっちにする？」と相談し始めるのもマナー違反。ひとこといわれたら、必ずひとこと返す。せめて Just a moment. といおう。Please let me think about it.（考えさせてください）も有効。

Stage 3 CHILD

Definition: 何かを提案されて即答できないとき、**I'll think about it.**。「……しようと思っている」なら、**I'm thinking about...** となる。

GROWN-UP I'm thinking about...
……しようと思っている

母親と娘が電話で話をしています。

A: **I'm thinking about** retiring and going to Thailand this year.

B: Are you serious?

訳：A:今年、引退して、タイに行こうと思っているの。
　　B:本気なの？

ONE MORE STEP

　I'm thinking about... は相談したいことを相手に打ちあける表現。例えば、「このシャツを今夜着ようと思っているんだけど」*I'm thinking about* wearing this shirt tonight. などと相手が切り出した場合には、ひとことでいいから相手の話を聞いてほしい。例えば *I'm thinking about* getting married.（結婚しようと思っている）なら、When are you...? と繰り返してフルセンテンスでいう必要はない。When? だけでいい。また *I'm thinking about* going to grad school.（大学院に行こうと思っている）なら When? / Where? / Why? など。

EXERCISES

I'm thinking about... を使って英文にしよう。
(1) 転職を考えてるよ。
(2) 今年の春に行こうと思っている。
(3) お見合いサービス会社に登録しようかな。

[解答例は p.142]

これは英語で何ていうのかな？

車の中でハチがブンブン飛んでいるのを見つけた。

車の中にハチがいる！

54 There's...in ～
～に……がいる/ある

CHILD

訳：ウワー、車の中にハチがいる！

There's a bee in the car.

POINT

「……にある」は It's in...。「……がある」は There's...in。混乱しないように。例えば「それは九州にある」、「車にない」なら *It's in* Kyushu.、*It's not in* the car. だが、「傷がある」、「ガソリンがない」なら *There's* a scratch.、*There isn't* any gas. になる。「……がある」「……がいる」には have も使う。特に何かに「付属物がある」は have を使う。例えば「この車にはナビがある」は *This car has* a navigation system.。しかし、付属物でないなら There is...。つまり「車にハチがいる」の場合、ハチは車の付属物ではないので、This car has a bee. とはいえない。迷ったら There is...。

BE CAREFUL

「……にある」と「……にいる」には、There's 文型は使えない。「私のオフィスは銀座にある」は There is Ginza my office？ あれ？ 「私の〜は……にある」はいつも「〜 is in場所」だから、*My office is in* Ginza. が正しい。「花園神社は新宿にある」は *Hanazono Shrine is in* Shinjuku.、「パナソニックの本部は大阪にある」*Panasonic's head office is in* Osaka.。一方、「成田空港に銀行がある」は *There's a bank at* Narita Airport.。これは「……がある」の文だから。

Stage 3
CHILD

Definition: ①「……がある」と「……にある」は別の構文。② There's ... in ～ は「～に……がいる/ある」というときに使う。③「……にある」は It's in...。

GROWN-UP There's nothing (to...)
……がない/何もない

冷蔵庫を開けてみましたが、食べるものが何もありません。

There's nothing to eat in the refrigerator.

訳：冷蔵庫の中に、何にも入ってないよ。

ONE MORE STEP

「冷蔵庫に何もない」は There is で始める。「誰もいない」、「何もない」は There's no one/nothing.。例えば、*There's nothing*（good to watch 省略可）on TV.（テレビ、今日何も（やって）ないね）。逆に「いっぱいある」なら There are a lot of... となる。*There are a lot of* things on my desk（that I have to finish）.（机には［終らせなければいけない］ものがいっぱいある）。We don't have... でえなくもないが、もし「冷蔵庫に製氷皿が付いていない」なら、製氷皿は「付属品」なので This refrigerator doesn't have an ice-maker. という。

EXERCISES

There is / are を使って英文にしよう。
(1) 窓の外におかしな人がいる。
(2) 駅のそばにうまいインド料理のレストランがあるんだ。
(3) モンタナ州には何もないよ。
(4) 東京には人がいっぱいいる。

［解答例は p.142］

これは英語で何ていうのかな？

箱の中で物音がする。

箱の中に何かが入ってる？

Is there...?

どこに……がありますか/……がいますか

CHILD

> Is there something in that box?

訳：箱の中に何か入ってる？

P O I N T

「……が(は)ありますか？」と聞きたいときには、Is/Are there...?。特に Is there ... near here? が便利だ。例えば、*Is there* a bank near here?（この近くに銀行はありますか）、Is there a pro sports team in your city?（あなたの町にプロスポーツチームはありますか）などいろいろ尋ねることができる。「何か入ってる？」というときはイラストの例文の Is there something... 以外に Is there anything... も使える。some (something) は「ありそうな」とき、any (anything) は「なさそうな」ときに使うという法則もあるが、迷ったときは some (something) で OK。

BE CAREFUL

日本語の特徴は、少ない単語で通じることが多いということだ。例えば「開いてます？」「寒い？」などがそうだ。でも、英語ではそれだけでは通じないことが多い。疑問文っぽく Bank? というよりも Is there a bank? といったほうが、まだましだ。Is there a bank near here?（この近くに銀行はありますか？）ならベスト。

Stage 3
CHILD

Definition: Is[Are] there...? は「……がありますか/いますか?」と、何かがあるか、ないかを尋ねるときの一番便利な表現。

GROWN-UP　Is there something...?
……がありますか?

ファックスで紙がぐちゃぐちゃになっています。何か詰まっているのでしょうか?

Is there something stuck in this fax machine?

訳：ファックスに何か詰まっている?

ONE MORE STEP

Is there...? の中で、「何か」といいたいときにはいくつかのパターンがある。
・Is there something ＋ in 場所?
　　Is there something in my eye?　「私の目に何かある?／入ってる?」
・Is there something ＋ 形容詞?
　　Is there something wrong?　「何かまずいことある?」
　　「誰か」というときにも使える。
・Is there somebody ＋ 修飾語?
　　Is there somebody special in your life?　「今、誰か特別な人はいる?」

EXERCISES

Is there...? を使って英文にしよう。
(1) 近くにドラッグストアはありますか。
(2) オーブンに何か入ってる?
(3) なんか考えてるの。

[解答例はp.142]

これは英語で何ていうのかな?

女の子が夏休みの話をしている。

今年の夏にメキシコに住んでるおばあちゃんに会ったの。

I saw...
……に会った

CHILD

> I saw my grandmother in Mexico this summer.

訳：今年の夏に、メキシコに住んでいるおばあちゃんに会ったの。

POINT

「会う」はいつも meet ではない。meet は「待ち合わせる」、「合流する」のニュアンス。英語で「会う」は see が適切だ。例えば、「今日学校でサンタさんと会ったよ」なら I *saw* Santa at school today. となる。「ちょっとしか会ってなかった」なら I only *saw* her for a few minutes.、「会いたい」は I *want to see you*.、「あしたサリーに会うの？」は、*Are you going to* see Sally tomorrow?。

BE CAREFUL

待ち合わせる・合流する場合は meet を使う。訪問して「会う」場合、バッタリと「会う」場合はことばもちがう。例えば、I met my grandmother in Mexico.（メキシコで合流した／待ち合わせた）、Let's meet at...（……で会おうよ）、Where should we meet?（どこで待ち合わせる？）などだ。「バッタリ会う」については右のページで確認しよう。

Stage 3
CHILD

Definition: 「会う」という意味の see。「……にバッタリ会った」は I ran into...。meet は、約束して待ち合わせる場合などに使う。「人と会う（見かける）」ときは see が適切。

GROWN-UP　I ran into...
……にバッタリ会った

男性ふたりの会話。片方が、今日トムにバッタリ会ったと話しています。

I ran into Tom today.

訳：今日、トムとバッタリ会ったよ。

ONE MORE STEP

run into... の直訳は「ぶつかる」。でもこれは「バッタリ会う」という意味だ。もちろん I *saw* Tom (by coincidence＝偶然) today. ともいえる。でも meet は絶対に「バッタリ会う」ではない。なぜなら、meet はあらかじめ約束をして会うことをいうからだ。例えば、I *met* my cousin in Ginza. I was surprised. とはいわない。I *ran into* my cousin in Ginza. ならおかしくない。仕事をサボっている最中に I hope I don't *run into* my boss.（ボスとバッタリ出くわさないといいけど）という言い方はできる。

EXERCISES

see/run into を使って英文にしよう。
(1) 昨日彼に会いましたよ。
(2) 昨日英語の先生にバッタリ会った。
(3) 知り合いに会わないといいけど。

[解答例は p.142]

これは英語で何ていうのかな？

探している物の名前が思い浮かばない。「あれ」を探しているんだ。

あれ、あれだよ。

That what-cha-ma-call-it.
あれ、あれだよ

CHILD

What are you looking for?

That what-cha-ma-call-it.

訳：A: 何を探しているの？
B: その、あれ、あれだよ。

POINT

That what-cha-ma-call-it. は相手に歩み寄ってもらう表現。話そうとしたときに、必ずしも適切な英語の表現を思い出せるとは限らない。「えーと。あれ。あれだよ。ほらあれ」という日本語にあたる英語が、what-cha-ma-call-it（発音ヒントは「ワチャマコリッ」）。例えば、ジェスチャーをしながら「ちょっと、その『あれ』がほしい」、I need *that what-cha-ma-call-it*. 「『あのあれ』はいくらだったの」How much was *that what-cha-ma-call-it?* などのようにいう。

BE CAREFUL

変わった英語表現を覚えるのは別にいいが、日本の食べ物の直訳は覚えなくてもいいかもしれない。例えば、「田楽」。なぜか「デビルズタング」と訳された。Sometimes I eat devil's tongue. や Would you like some devil's tongue? といっても世界中の誰にも通じない。「英単語オタク」になるより、a Japanese food called "dengaku" と、説明を加えていったほうがずっといい。

Stage 3
CHILD

Definition: That what-cha-ma-call-it. は「あれ、あれだよ」と、何かをいおうとして、ことばがどうしても思い出せないとき使う。

GROWN-UP　The thing that...
……するもの

探しているものの名前を忘れてしまったので、身振りで店員に伝えようとしています。

A: What're you looking for today?
B: The thing that you use to see the stars.

訳：A: 今日は何をお探しですか。
　　B: 星を見るときに使うものですよ。

ONE MORE STEP

　上のイラストの場面のように、探しているものが見つからなかったときはどうするか。役に立つのは、単語ばかりではない。生きた訓練が生む会話テニックだ。例えば、「果実をジュースにする機械」は *The thing that* you use to make fruit juice. または The machine that makes juice.、「レントゲン」なら *The thing that* you use to look at broken bones.。こうした具合に、説明を加えることによって、十分こちらの探しているものを伝えることができる。

EXERCISES

what-cha-ma-call-it/the thing を使って英文にしよう。
(1) あのあれって手に入れたの。
(2) ワイン開けるときに使うあれってどこいったかな。
(3) 背中かくときに使うあれってどこ。

[解答例はp.142]

これは英語で何ていうのかな？

おなかを押さえて痛そうにしている男の子。お母さんに答えている。

おなかが痛い。

58 My [体の部分] hurts.

[……]が痛い

CHILD

My stomach hurts.

What's wrong?

訳：A: どうしたの？
　　B: おなかが痛い。

POINT

体の部分をいう前には、必ず「だれだれの」（例えば my や your）をつける。好きな英語の歌があれば、「目」は単に eyes ではなくほとんど your eyes であるのをチェックしてみよう。子どもがよくいう「……が痛い」は、My＋体の部分＋hurts. で表す。歯が痛いのなら My tooth hurts.、頭が痛いのなら My head hurts. だ。ひとことで「痛い！」は Ouch! アウッチ（語尾弱く）や Aaah! だが、きちんと「痛いです」というなら That hurts. だ。

BE CAREFUL

日本の英語教育を受けた人は、[My＋体の部分＋hurts.]よりも、injure や catch a cold などを覚えている。これから本当に英語でコミュニケーションしたいなら、もっと使える構文を覚えたほうがいい。catch a cold は風邪という病気でしか使えない。しかも過去形だけだ。「今ひいている」なら I catch a cold. とはいわない。「風邪をひいている」の日常的な言い方は I have a cold.。

Stage 3
CHILD

Definition: 「……が痛い！」というときには「My＋体の部分＋hurts.」と覚えよう。ただし、痛みの原因がわかれば、大人が使う表現は I have a［病名］。

GROWN-UP　I have a/the［病名］.

心配して尋ねてくれた同僚に、「頭痛がする」と訴えています。

A: What's wrong?
B: **I have** a headache.

訳：A: どうしたの？
　　B: 頭痛がする。

ONE MORE STEP

便利なのは「I have＋病名」。I have a cold. は「風邪ひいている」。「今風邪ひいているか」なら Do you have a cold? が一番自然だ。この表現があれば、病名を覚えることに集中できる。「インフルエンザ／熱／鼻水」は、I have the flu/a fever/a runny nose.。「足を骨折しています」は I have a broken leg.。「花粉症です」なら I have hay fever/allergies.。もっと工夫した言い方には、I have a 体の部分＋ache.。例えば、I have a backache.（背中が痛い）、I have a toothache.（歯が痛い）など。

EXERCISES

have を使って英文にしよう。
(1) 首が痛い。
(2) 先週うちの息子が風邪をひいたんですよ。
(3) 私には虫歯なんてないよ。［虫歯は cavities］

［解答例は p.142］

これは英語で何ていうのかな？

明日のクリスマスが楽しみで、待ち遠しくてたまらない女の子。

待てなーい

59 I can't wait!
待てなーい！/ 楽しみ！

CHILD

> I can't wait!

> Tomorrow is Christmas.

訳：A: あしたはクリスマスだね。
　　B: 待てなーい。

POINT

　I can't wait. の意味は「スゴク楽しみ！」とか「待てなーい」。もちろんこれは**感情表現なので明るい表情で**。無表情、暗い顔で I can't wait. というと「もう待てないよ」つまり「早くしろ」と別の意味になる。ひとことで「楽しみにしている」というには enjoy ではなく I can't wait.。例えば I'll see you on the 25th. といわれたら、OK. *I can't wait.*「スゴク楽しみにしているよ」となる。

BE CAREFUL

　勉強熱心な人でも見落としがちなのが会話の「ノリ」。「ノリ」が英会話には必要だ。つまり、細かい単語や文法ルールよりまず基本的なことば、Thanks!、Sure!、Just a little.、Hi. などを気持ちをこめていえるようになること。そして基本的なフレーズが気軽にパッと口にできるようになること。英語がうまくなるには先に難しい単語や俗語を覚える必要はない。基本的なことばとノリが命だ。

Stage 3 CHILD

Definition: I can't wait! は「すごく楽しみ」。「……を楽しみにしています」「よろしく」は I'm looking forward to -ing. でいい表せる。

GROWN-UP I'm looking forward to -ing
……を楽しみにしています／よろしく

ふたりのビジネスマン。一緒に仕事ができるのを楽しみにしています。

A: I'm looking forward to working with you.

B: I'm looking forward to working with you.

訳：A: 仕事をご一緒するのを楽しみにしています。
　　B: こちらこそ。よろしくお願いいたします。

ONE MORE STEP

「よろしく」という日本語の表現は「それは英語にはない」という方もいるようだが、どこの国でも人が人にこれからのことを「よろしく」という状況はあるから「よろしく」はいえる。その英訳のキーとなるのは何に対して「よろしく」か。例えば、英会話スクールの初回のレッスンで *I'm looking forward to* taking your lessons.（レッスンを楽しみにしている＝レッスン、よろしくお願いします）という感じ。日本語の「よろしく」には、独特の含みがある感じがするが、想像力を働かせれば英語でも十分にいえる。

EXERCISES

look forward to を使って英文にしよう。

(1) ［家庭教師が新しく教えることになった生徒に］4月からよろしくね。
(2) 会うのが楽しみです。
(3) ［メール友達に］はじめて会えるのを楽しみにしています。

［解答例はp.142］

これは英語で何ていうのかな？

大きな贈り物はどこから見ても、男の子がほしかった自転車。

やっぱり！

I knew it!

やっぱり！

CHILD

I knew it!

It's a bike.

訳：A: 自転車だよ。
　　B: やっぱり！

POINT

I knew it. をよく使うのは、このイラストのように「やっぱりそうだったんだ」という場面。例えば、Billy is going out with Jane.（あのふたりは付き合っている）といわれて I knew it.（やっぱり）など。しかし、I knew *that*! というと「そんなことなら知っていたよ」というきつい言い方にもなるので注意。自分は知っていても、せっかく教えてくれた人の気持ちを考えて、Really?!（知らなかった）と調子を合わせることはアメリカでもある。

BE CAREFUL

文の中の「やっぱり」は really と訳せることが多い。This is REALLY delicious.「やっぱりおいしい」。もしおいしいと評判の店に行って、確かに「思った通りおいしいんだ」と思ったら、I knew it. という。つまり I knew this would be delicious. ということ。ちなみに軽く意見をいうときの「やっぱり」は、I think... で OK。「やっぱりこっちがいいよ」*I think* this one is better.。

Stage 3 — CHILD

Definition: 「やっぱりそうだったんだ」というときには **I knew it.**、「ほらね、どうしようもない」なら **That figures.** という。

GROWN-UP That figures. ほらね、やっぱり。

会議中。案の定、遅刻してきた男性を見てふたりの女性がささやきあっています。

A: I'm sorry I'm late.
B: That figures.
C: Yeah.

訳：A:遅れてすいません。
　　B:ほらね。やっぱり。
　　C:ほんとに。

ONE MORE STEP

　That figures. は上の場面のように、「こいつ、どうしようもない」という辛口陰口の表現。どうしようもない会社の株が下がったときには、A: *Their stock went down 22 points.*（株価が22ポイント下がった） B: *That figures.*（やっぱりねえ）。もうひとつの That figures.「ほらね。やっぱり！」の使い方はジョークふうに。例えば、「巨人はまた負けたよ」と熱烈な巨人ファン以外にいうと、*That figures.*（ハハハ、やっぱり）と笑顔で返ってくる。

EXERCISES

knew/figures を使って下線部を英文にしよう。

(1)「結局あの人は結婚してたの」→<u>あ、やっぱり</u>。
(2)「おまけにこの会社はボーナスがない」→<u>ほら、やっぱり</u>。
(3)「あの人はまた浮気した」→<u>ほら、やっぱり</u>。

［解答例は*p.142*］

これは英語で何ていうのかな？

お母さんが怒っているのは、僕のこと？と男の子が聞いている。

僕ってこと？

EXERCISESの解答例

41. *p.*103 (1)What do I have to do with this? (2)Where do I have to send this? (3)How long do I have to wait?

42. *p.*105 (1)My pleasure. (2)Sure.

43. *p.*107 (1)I'm not sure yet. (2)I'm not sure if I have enough coins. (3)I'm not sure if this is right.

44. *p.*109 (1)See you tomorrow. (2)See you tomorrow. (3)See you Wednesday.

45. *p.*111 (1)We should ask about the price first. (2)We should go by taxi. (3)Why don't you ask Mr. Suzuki?

46. *p.*113 (1)Should I cut my hair? (2)Should we make a reservation? (3)Should we go by car or train?

47. *p.*115 (1)When should I call? (2)What should we do for dinner tonight? (3)What should I do with this?

48. *p.*117 (1)I'm supposed to be at work by 10, but I'm still sleepy, so I'll sleep a little more. (2)Tonight's our anniversary! We're supposed to go out! (3)It's supposed to be sunny today, but it looks like rain.

49. *p.*119 (1)Don't worry about me. (2)Don't worry about the neighbors. (3)Don't worry about those people.

50. *p.*121 (1)You're lucky it didn't rain. (2)You're lucky you have paid vacations./You're lucky your boss lets you take a vacation. (3)I'm lucky I still have a job.

51. *p.*123 (1)You'll be very sorry. (2)You won't be sorry. (3)You'll be sorry if you don't try. (4)I'll be sorry tomorrow morning if I drink any more.

52. *p.*125 (1)I have an idea for developing our Internet presence. (2)I have an idea for solving the sales problem.

53. *p.*127 (1)I'm thinking about changing jobs. (2)I'm thinking about going this Spring. (3)I'm thinking about joining a match-making service.

54. *p.*129 (1)There is a strange person outside my window. (2)There's a great Indian restaurant near the station. (3)There's nothing in Montana. (4)There are a lot of people in Tokyo.

55. *p.*131 (1)Is there a drug store near here? (2)Is there something in oven? (3)Is there something on your mind?

56. *p.*133 (1)I saw him yesterday. (2)I ran into my English teacher yesterday. (3)I hope I don't see anyone I know.

57. *p.*135 (1)Did you get that what-cha-ma-call-it? (2)Where's the thing you use to open wine? (3)Where's the thing you use to scratch your back?

58. *p.*137 (1)I have a neckache.//My neck hurts. (2)My son had a cold last week. (3)I don't have any cavities.

59. *p.*139 (1)I'm looking forward to teaching you this April. (2)I'm looking forward to seeing you. (3)I'm looking forward to meeting you.

60. *p.*141 (1)I knew it. (2)That figures. (3)That figures.

> 僕？
>
> 階段に本を置かないで、としかられた子どもが「僕のこと？」と英語で問い返すと……。

Stage 4
PRETEEN

I think....、Maybe it's....、might などあいまいな表現も使いこなすようになってきた小学校高学年です。

Do you mean this?

つまり、これってこと？

PRETEEN

Don't put your books on the stairs.

Do you mean me?

訳：
A: 階段に本を置かないでね。
B: 僕ってこと？

POINT

　日本語に比べて英語は、単語一語だけでは相手に意味が通じないことがままある。例えば「私？」は Me? よりも、Do you mean me? といったほうが確実に通じる。この Do you mean ...? は、相手が何についてしゃべっているのかを確認するための言い回しだ。「これのこと？」と尋ねたい場合には Is it this? ではなく Do you mean this?、「あの店のこと？」なら Do you mean that store? という。

BE CAREFUL

　「私？」と尋ねる際に人指し指を自分の鼻先に向けるジェスチャーは日本独特のもの。初めてそれを見た人は鼻に何かついているのを教えてくれているのかと思ってしまうかもしれない。またもうひとつ誤解されやすい日本的な癖が、相手のいうことがわからないのに笑ってごまかしたり、「ん？」といったりすること。わからなければ Excuse me? や Do you mean...? や Sorry? といって聞こう。

Stage 4
PRETEEN

Definition: Do you mean...? は「つまり……ってことですか?」。相手が何のことをいっているのか、話の内容を確認するために聞き返すテクニック。

GROWN-UP　Do you mean...?
つまり……ってこと?

汚れたユニフォームで帰宅した夫がぼそっとひとこと。妻は聞き直しています。

A: We got killed.

B: Do you mean...you lost?

訳：A: メッタメタにやられた。
　　B: つまり、負けたってこと?

ONE MORE STEP

　先に Do you mean... といってから、確認したいことをいう。相手に話の内容を聞き返す際に用いるとても重要なテクニック。例えば、会社で上司からうれしそうに I made a killing. といわれたものの、意味がよくわからず「う〜ん、ビジネスで当てたってこと?」と疑問を抱いたら Do you mean... you made a lot of money? と確認してみる。俗語などの知識はあっても、相手がいったことを必ずしも理解できるとは限らない。でも、このコミュニケーション・テクニックを使えば、知らないことばも理解できる。

EXERCISES

Do you mean...? を使って英文にしよう。
(1) 日本ってこと?
(2) これか、これってこと?
(3) もっとほしいってこと?

[解答例はp.184]

これは英語で何ていうのかな?

値段の書き間違いに気づいた男の子。そうじゃないよ……と弁解。

ちがうちがう。

MELON
$100

62

That's not what I meant.
ちがうちがう

PRETEEN

A hundred dollars?!

That's not what I meant.

訳
A: これ100ドル?
B: ちがうちがう。

POINT

　自分がいいたかったことが理解されなかったとき、訂正することばは No. だけでなく That's not what I meant.。世界の人とコミュニケーションをとるのに、訂正、聞き直す、確認といったテクニックを身につけるとラクになる。この表現は国際コミュニケーションには欠かせない。まず、That's not what I meant. の後、補足説明すること。上のイラストの場合、I forgot the (decimal) point. ([小数]点を忘れた)で、伝えようと思ったのとちがっている、と相手に伝えられる。

BE CAREFUL

　相手に誤解された場合、NO, NO, NO. と3回繰り返したり、笑ってごまかしたり、ミスのままほっておいたりする人はいませんか。これはちょっとマナー違反。間違えたら訂正しなくちゃ。例えば、もし自分が「いつ食べたの」と聞きたいのに、相手がどこで食べたかについて話し始めたら、I'm sorry. That's not what I meant. I mean WHEN did you eat? といおう。

Stage 4
PRETEEN

Definition: That's not what I meant. は、自分がいいたかったこととはちがうと、訂正する言い方。ただ単に No. というより、きっちり文でいうのがベスト。

GROWN-UP

That's not what I meant to... 私の……したものとちがいます

注文した料理とちがうものが届きました。ウエイターに注文の間違いを伝えます。

A: OK. Here you are.

B: Just a minute. That's not what I meant to order.

訳：A: はい、どうぞ。
　　B: ちょっと待ってください。これは私の注文したものではありませんが。

ONE MORE STEP

That's not what I meant. だけでも OK だが、その後に to ＋動詞を加えると応用ができる。例えば、「なんでこんなことしちゃったの?!」と責められたら That's not what I meant to do. といってみよう。これは「ごめん。悪気があってやったわけじゃないんだけど」という意味にもなる。何よりも便利なのは、That's not what I meant to say. (それは私がいいたかったこととはちがいます)。これは自分の英語のミスに対していう。発音のヒントは「ダツナワアイメンタセ」。

EXERCISES

not what を使って英文にしよう。
(1) ちがうよ。
(2) 頼もうと思ったのとちがう。
(3) これは買いたかったのとちがいますよ。
(4) 話がちがうじゃん。

[解答例は p.184]

これは英語で何ていうのかな？

教室でみんながトカゲを怖がっている。男の子が「僕が捕まえる」。

僕、捕まえるよ。

I'll get it.

私が捕まえるよ／やりますよ／しておきます

PRETEEN

A: A lizard!
B: I'll get it.

訳：A: トカゲ！
　　B: 僕、捕まえるよ。

POINT

　欧米人は「イニシアチブ」が取れることを大事にしている。例えば、学校では積極的に答える子どもが高く評価される。その背後にはキリスト教の自ら進んで行う親切こそ本当の親切、見て見ぬふりは罪、という考え方がある。イニシアチブを取るためのフレーズは、I'll get...。例えば、相手のスープにゴミが入っているのに気づいたら、I'll get the waiter.（ウエイターを呼びますよ）、道に迷っている人には I'll get a map.（地図もってきますよ）。

BE CAREFUL

　本書では、子どもが早いうちに身につけることばだけでなく、そのことばの持つ文化的な意味合いにも触れているのがわかると思う。上で述べた話も、欧米ではシャイは必ずしも美徳ではないということを物語っている。欧米人の特徴をいっているのであって、決して欧米人風に行動しろといっているわけではないが、自分の母語でない分、多めに話したほうが通じる。

Stage 4
PRETEEN

Definition: 自ら進んで、積極的に行動を起こそうとするときに使うのが、この I'll get...。「頑張ります」は I'll try.。

GROWN-UP　I'll try.　がんばる/じゃあがんばってみる

ダイエットを勧める旦那さんに、奥さんが「がんばります」と答えています。

A: You should watch your weight.
B: I'll try.

訳：A: ダイエットしたほうがいいんじゃない。
　　B: がんばるわ。

ONE MORE STEP

「がんばる」を英語で表現する場合、言い回しはその場の状況で変わってくる。相手を励ます場合はたいてい Good luck. だが、相手に「(私は)がんばる」というときは I'll try.。一生懸命にがんばるなら I'll do my best. あるいは I'll try my best. になる。接客業では、たとえ無理なことでも That is very difficult but *I'll try.* というのがサービス。また、「少々お待ちください」とはいわずに、同じ I'll で、「ただいまうかがいます」*I'll* be right there. という。

EXERCISES

I'll... を使って英文にしよう。
(1) じゃ、電話します
(2) 私が(電話に)出ます。
(3) がんばります。

[解答例は p.184]

これは英語で何ていうのかな？

先生が生徒に、理解できたか確かめている。

わかったと思うけど。

I think I...
私は……だと思う(けど)

PRETEEN

I think I understand.

Do you understand?

訳：
A: わかりましたか？
B: わかったと思うけど……。

P・O・I・N・T

意味は「わかると思う(けど)」だが、これは**会話のテクニックとして、いわれたことが難しかったり全部聞き取れなかった場合、もうちょっとやさしく説明して、と相手に暗に要求する表現**。*I think* that I understand. の that はつけてもつけなくてもOK。この I think... の文は80％くらいの確信を表している。逆にいうと、**20％ぐらいはわからなかったけれど、まあだいたいわかりました**、ということが伝わる。わからなければ、I'm sorry. I don't understand. といっても失礼にならない。

BE CAREFUL

相手の話をわかってないのにわかったふりをしてはいけない。後で誤解を招く危険性もあるし、「わからなかったら、どうしてその場でいわないの」と不審に思われる。わからなかった場合には、話の途中でも、はっきり Just a moment.。Pardon? でも、Sorry? でもいい。すこし余裕があったら具体的に確認してみよう。例えば I think I understand, but do you mean...?。

Stage 4 PRETEEN

Definition: I think I understand. は、相手がいったことが難しかったり全部聞き取れなかった場合に、もうちょっとやさしく説明して、と暗に要求する言い方。

GROWN-UP I think the problem is...
問題は……だと思う（けど）

車が動かなくなってしまいました。考えられる原因を伝えます。

I think the problem is the battery.

訳：問題はバッテリーだと思う。

ONE MORE STEP

I think the problem is... は問題の原因を明確にすることば。例えば人事の話で *I think the problem is* Mr. Jones.（問題はジョーンズ氏だと思う）など。ためらいながらいえば確信度の低い「……と思うけど」も表せる。例えば *I think the problem is* our advertising. It might be too vague.（問題は宣伝だと思うけど。曖昧すぎるかも）。ちなみに I think と maybe はあまり同じ文中で使わないが、確信度が低い場合、*I think...maybe...*Friday is OK.（たぶん……金曜日は大丈夫と思うけど）とポーズを置きながらいえる。

EXERCISES

I think を使って英文にしよう。
(1) あなたが勝ったんだと思うよ。
(2) わかったと思うけど。
(3) 明日には準備できると思う。
(4) こっちのほうがいいと思う。

［解答例は*p.184*］

これは英語で何ていうのかな？

2階で物音。女の子に、「たぶんモンスターだ」という。

もしかしてモンスターかもよ。

65 Maybe it's...
たぶん……かな/もしかして……かも

PRETEEN

What's that?

Maybe it's a monster.

訳：A: あれ、何かしら。
　　B: もしかしてモンスターかもよ。

POINT

　I think と Maybe のちがいは、確信の度合による。だいたい確率50％くらいのときは *Maybe* it's finished. で、80％くらいだと *I think* it's finished. となる。例えば誰かの原因や理由が100％わからなくても、「もしかして電車の遅れかも」*Maybe* the train's late. と説明できる。Why...? などと聞かれたときも Maybe... をよく使う。例えば Why is she so happy? — *Maybe* her boyfriend finally proposed.。

BE CAREFUL　Maybe のあとは主語＋動詞。本当に英会話の実力を高めたい学習者に一番いいたいことは、英文法の大原則だけを身につけ即座に使えるようになろうということ。主語（S）＋動詞（V）＋目的語（O）でとっさに文をいえるように。例えば上のイラストの「たぶんモンスターかも」も Maybe monster. では不自然。Maybe の後はS＋Vが英語の語順。これを身につけ、瞬時に連続していえれば英語力がついたといえる。

Stage 4
PRETEEN

Definition: Maybe も I think... も不確定さを表現するが、同じ文章内では並列できない。確信の度合で使い分ける。Maybe が50%、I think... が80%くらい。

GROWN-UP probably　おそらく

お店に電話をかけましたが、誰もでません。どうやら閉店してしまったようです。

They're probably closed.

訳：おそらくしまってるよ。

ONE MORE STEP

　I think、Maybe に加えて probably も比較してみよう。確率50％くらいが maybe（もしかして）で、80％くらいが I think（……だと思うけど）だとすると、It's probably finished.（おそらく）は70％くらいの確率の場合に用いる。確率の度合は、Maybe I can go. ＜ I can probably go. ＜ I think I can go. の順に高くなる。しかし、probably には「想定」ではなく、客観的な根拠を基に「推定」して、というニュアンスがある。例えば、You probably left your cellphone at the restaurant.（おそらく君はレストランに携帯を忘れたね）といえば、そう考える妥当な理由がある、という印象になる。

EXERCISES

maybe/probably を使って英文にしよう。
(1) もしかして彼らは付き合ってるのかも。
(2) 彼らはおそらくいない。
(3) たぶん、あれはテレビの音だよ。

［解答例はp.184］

これは英語で何ていうのかな？
お化粧している女の子を母親がとがめる。女の子は反発して口答え。
みーんなやっているよ。

Everyone does it.

みんなやっている

PRETEEN

What's that on your lips?

Everyone does it.

訳：A: 何？ あなたのくちびるは。
B: みーんなやってるよ。

POINT

everyone や everyday など、every のつく言葉は、頻度や物事を大げさに表現したい場合に使われる言い回し。例えば、「毎日テレビゲームをやっている」なら He plays video games *everyday*. だし、圧倒的に人気のある人やモノを表すなら *Everyone* likes him. とか *Everyone* has one. となる。だが正確にいうと「ほとんどみな」は almost everyone または most people になる。almost people は不自然。「ほとんど毎日」は almost everyday。

BE CAREFUL

almost に要注意。「ほとんどの日本人はそれが好き」は Almost Japanese like it. とはいわない。「ほとんど……」を英語でいう場合、almost を使うなら almost all Japanese というセットになり、また most を用いれば most Japanese となる。Everyone likes it. という言い方はちょっと大げさだが、このような大げさな表現は、ときとしてチャーミングに聞こえることもある。

Stage 4
PRETEEN

Definition: 「ほとんどの……」は almost all... または almost every...。almost 単独では用いないように注意しよう。「ほとんどの日本人」なら almost all Japanese。

GROWN-UP most   たいていの / だいたいの

アメリカでのお寿司の人気を尋ねました。たいていのアメリカ人は寿司好きなようです。

A: Is sushi popular in the U.S.?
B: Yeah. Most people like it.

訳：A: 寿司はアメリカで人気がありますか？
　　B: ええ、たいていの人が好きですよ。

ONE MORE STEP

most（たいていの/だいたいの）を almost all と比べると most のほうがわずかに少ない感じ。*Most* homes have a balcony.（たいていの家にはバルコニーがある）といった形で用いられる。most より少ないときは some か few を使う。some は例えば *Some* homes have washing machines.（洗濯機がついている家もある）。a few はそれよりもっと少ない数について使う。例えば A *few* homes have dish washers.（皿洗い機のある家はほんの少しはある）。

EXERCISES

most を使って英文にしよう。
(1) 日本で走っている車は、だいたい日本車だ。
(2) たいていの生徒は試験のため猛烈に勉強するが、英語を実践する機会には恵まれない。

これは英語で何ていうのかな？

車を持ち上げられるほど強いお父さんなんかいない、という。

キミんちのお父さんがそんなに強いわけないさ。

［解答例はp.184］

67 not that...
そんなに……ではない

PRETEEN

A: My daddy can lift up a car.

B: Your daddy's not that strong.

訳：A: ぼくんちのお父さんは車を持ち上げることができるんだぞ。
B: きみんちのお父さんがそんなに強いわけないさ。

POINT

not that＋形容詞で「そんなに……でない」、または「あんまり……でない」。主に be 動詞とともに使う。例えば、This winter was *not that* cold.（今年の冬はそんなに寒くないよ）や He's *not that* rich.（彼はそんなにお金持ちじゃないよ）。あまり＋一般動詞の文の場合、don't＋動詞＋that much となる。例えば、I do*n't* go out *that* much.（あんまり外出はしない）のように最後に very/that much を置く（*p.*187参照）。

BE CAREFUL

I'm tired. と I'm a little tired.、I'm not that tired. と I'm not tired. を上手に使い分けられるようになろう。ただ、実は not that / very / really はどれもほぼ同じ程度の「あまり〜でない」。国際英語の基準では通じることが○、丁寧に通じるのが◎、細かいことを気にして言葉が出ないのは×。この基準に沿って、自分の使いやすい表現を使おう。

Stage 4
PRETEEN

Definition: 「あんまり……ではない、そんなに……ではない」を表すには、**not that**＋形容詞。「そんなに……とは思わなかった」は **I didn't think ... that 〜**。

GROWN-UP 　I didn't think it was that...
そんなに……とは思わなかった

女子学生が試験の感想を述べていますが、思っていたほど難しくはなかったようです。

A: How did you do?
B: **I didn't think** the test **was that** difficult.

訳：A：どうだった？
　　B：テスト、そんなに難しくなかったわ。

ONE MORE STEP

　この「そんなに……とは思わない」という表現が使えるようになるには、発想の転換が必要。語順は「思わなかった、その……が〜だったと」となるからだ。
・*I didn't think* his cooking was *that* bad.（彼の料理がそんなにまずいとは思わなかった）
・*I didn't think* Australia was *that* expensive.（オーストラリアがそんなに物価高とは思わなかった）
未来についてもいえる。
・*I don't think* the test will be *that* difficult.（試験はそんなに難しくはないでしょう）

EXERCISES

not that を使って英文にしよう。
(1) 僕の住んでるアパートはそんなに大きくないよ。
(2) その映画はそんなにいいとは思わなかったね。
(3) うちの主人はそこまで働いてないわ。

［解答例はp.184］

これは英語で何ていうのかな？

花瓶が落ちそう、と警告された。でもどの花瓶かわからない。

どの花瓶？

What...?

どの……？/何の……？

PRETEEN

A: Watch out for the vase.
B: What vase?

訳：A: 花瓶に気をつけて。
　　B: どの花瓶？

POINT

What vase? は返答なので S＋V を省略した形。例えば、Would you give me the report?（報告書いただけますか）と聞かれて、どの報告書かわからなければ、What report?（どの報告書？）と答える。「どんな」what kind of と混同しないように。レポートの種類を聞くなら What kind of report? だ。また、I have a boyfriend.（彼氏がいるの）といわれ「どんな人？」と聞きたいなら What kind of person is he? だが、「だれ？」や「どの人？」かを聞きたい場合は What guy? と聞き返そう。

BE CAREFUL

間違いやすい言い方もチェックしてみよう。「スポーツは何が好き？」。この語順は間違いやすい。一見 What do you like sport? のようだが、考え方は「何の……が好き？」となるので *What sport* do you like? が正しい。「どこの……」というのも要注意。「どこのチームが好きですか」は Where team do you like? ではなく *What team* do you like? が正しい。

Stage 4
PRETEEN

Definition: 「何の～/どこの～/どの～？」と応答で聞く場合は、省略形のWhat＋単語？で聞くことが可能。

GROWN-UP What ... do you use?
どこの……を使ってる？

スカッシュの休憩中。相手がどこのメーカーのラケットを使っているのか尋ねます。

A: What racket do you use?
B: It's an Alkin.

訳：A: どこのラケット使ってる？
　　B: アーキン社のよ。

ONE MORE STEP

今度はWhatを使って自分から尋ねてみよう。
・「どこのスキー場が好き？」　*What* ski slope do you like?
・「どこのミネラルウォーターが好き？」　*What* mineral water do you like?
・「どの時計メーカーが好き？」　*What* watch maker do you like?
　などメーカーとか品名を聞くのにも便利。
・「どこの新聞を取っている？」　*What* newspaper do you get?
　※What...? でなく Which...? は次ページで紹介する。

EXERCISES

whatを使って英文にしよう。
(1) 何の不景気のこといってるの？
(2) どのニュース番組を見ているの？
(3) 君が最も嫌いなテレビ番組はどれ？

[解答例はp.184]

これは英語で何ていうのかな？

ボールを取るように頼まれたが、どの種類のかわからない。

どれ？

69 Which one?
どれ(ですか)？/どっち(ですか)？

PRETEEN

Would you bring me that bowl?

Which one?

訳：A: ボールを取ってちょうだい。
B: どれ？

POINT

「どっち？」「どれ？」と聞く場合、どちらも Which one? を使う。あるいは p.144のように Do you mean this one?（これってこと？）と聞き返す手もある。聞き返しには長い文を作る必要はないので、例えば、May I have the document? と聞かれたら、Which is the document that you are looking for?（あなたが探している書類はどれですか？）とはいわず、「どれですか？」Which one? と聞き返す。何の書類かわからないときは What document?（p.158参照）。

BE CAREFUL

英語の大原則は語順。S＋V で始め、文末に時間、場所、頻度（sometimesなど）を置く。しかし、例外的に S＋V を省くのが受け答え。「こっち」＝This one.、「そう」＝Yes.（I doはなしでOK）。聞き返すときも、S＋V は省略する。「どれ？」＝Which one?、「何の〜／どこの〜？」＝What 〜?、「〜はどう？」＝How about 〜? などもそう。

Stage 4
PRETEEN

Definition: 「どれ？」と聞きたい場合は、簡単に Which one? というだけでよい。比較する場合は Which one is better...? となる。

GROWN-UP

Which one is better, this one or this one?
これとこれ、どっちがいいですか？

旦那さんが奥さんに、どちらのネクタイがいいか見てもらっています。

A: **Which one is better, this one or this one?**

B: **The red one.**

訳：A: こっちとこっち、どっちがいい？
　　B: 赤いほう。

ONE MORE STEP

普通に「どれがあなたの？」は Which one is yours?。比較するために better を入れると簡単にいろいろ聞ける。ことばの適切な使い方を聞くのに便利。例えば Which one is better "must" or "have to"? (どっちのほうがいい[よく使われる／適切である]、must か have to ?) となる。また、「どういうふうに呼んでほしい？」と尋ねるときにもよく使う。例えば、相手が Christine という名前なら、Which one is better, Christine or Chris? (どっちで呼んでほしい、クリスティン、それともクリス？) という感じだ。

EXERCISES

Which を使って英文にしよう。
(1) この道と高速道路、どっちのほうがいいかな。
(2) どれ。
(3) much money っていう言い方と a lot of money、どっちのほうがいいの？

[解答例は p.184]

これは英語で何ていうのかな？

会社帰りのお父さんに、「今夜は友達のお家に泊まるの」と女の子。

今夜ジェーンの家にお泊まりする。

be -ing

……する(つもり)/……することになっている

PRETEEN

I'm staying at Jane's house tonight.

Be a good girl.

訳：A: 今夜ジェーンの家にお泊まりする。
　　B: いい子でいるんだよ。

POINT

　現在進行形がしばしば、未来を表すのはあまり知られていない。例えば「何時に終わるの？」What time *are* you *finishing*?、「6時に終わるけど、上司と食事するんだ」I'*m finishing* at six tonight, but I'*m going* out with my boss for dinner.、「じゃ、何時に帰るの？」What time *are* you *coming* home?、「10時ぐらい。8時くらいに顧客と会うから」Around ten. We'*re meeting* a few clients around eight. となる。

BE CAREFUL

　試験にしやすい英文法と使える英文法はちがう。未来形 be going to... と will で遠い未来と近い未来を区別して話すことはない。I'm graduat*ing* in two years.（私はあと2年で卒業する）とも I'm tak*ing* two tests tomorrow.（明日2科目テストがあるんだ）ともいう。気をつけなければならないのは未来の疑問文。依頼になってしまうので Will you...? はあまり使わない（右ページ参照）。

Stage 4
PRETEEN

Definition: 進行形 -ing は現在進行形としてだけでなく、未来形としてもよく使われる。また、未来形の疑問文には Will you...? より Are you -ing? とする。

GROWN-UP　未来を表す現在進行形の疑問文

ボスが部下に、今週はどのオフィスで仕事をするつもりなのか聞いています。

A: **Are you going** to Tokyo or New York next week?

B: New York. I'm going to Tokyo in three weeks.

訳：A: 来週東京かニューヨークに行きますか？
　　B: ニューヨークです。東京には3週間後に行きます。

ONE MORE STEP

　未来形の疑問文には要注意。Will you...? というと依頼になってしまう。Are you going to Tokyo? か Are you going to go to Tokyo? のどちらか。**自分あるいは相手の予定を聞く際には Are you -ing? または Am I -ing?**。When *am* I *having* my next lesson?（次のレッスンはいつ受けられる［ことになっている］の？）や *Are* you *coming* tomorrow?（明日来る［ことになっている］？）となる。後者は Are you going to come tomorrow? といっても意味は同じ。

EXERCISES

-ing を使って英文にしよう。
(1) 私はジェット機で行きます。
(2) 来年で引退するんですか。
(3) 休暇はどこに行くの。

［解答例は*p*.184］

これは英語で何ていうのかな？

傘を差し出すときに、ひとこと添える。

雨が降るかもしれない。

might
……かもしれない

PRETEEN

It might rain.

Oh, thanks.

訳：A: 雨が降るかもしれない。
　　B: あ、ありがとう。

POINT

I、you、he、it など＋might＋動詞は、「〜かも」。天気についていうときは、Today might 〜 ではなく It might 〜 today. だ。**不確実な未来の可能性をいうときは will ではなく might か may を用いる**。書き言葉でも話し言葉でも使えるのは might だ。70％の確率で「今夜ビルが来るかも」は Bill *might* come tonight. だが、ほぼ確実だったら Bill's *coming*（または *going to come*）tonight. となる。また未来のことだけではなく、現在のこともいえる。例えば、She might have a boyfriend.（彼女は彼氏がいるかもしれない）。

BE CAREFUL

雨が降る確率が100％のときは、It is going to rain.。0％のときは、It's not going to rain.。でも「雨が降るかもしれない」の場合は It will rain. とはいわない。「……かもしれない」の場合は It might rain. となる。学校で「雨が降るでしょう」は It will rain. と習うかもしれないが、これも It might rain. でよい。つまり、「かもしれない」といいたいときは might＋動詞。それだけ覚えておけばいい。

Stage 4
PRETEEN

Definition: 不確実な未来についていうときには、will ではなくて might を用いる。I might... は「私は……かもしれない」。

GROWN-UP I might...   私……するかもしれない

会社から自宅の奥さんに電話して、「今日は早く帰れるかもしれない」といっています。

A: **I might** finish early tonight.
B: OK. Call me.

訳: A: 今夜は仕事が早く終わるかも。
　　B: わかったわ。電話してね。

ONE MORE STEP

　まだ予定がはっきりしないときは I might... を使う。はっきり自分の今後の予定が決まったら、未来形の I'm coming home early tonight.（または I'm going to come home. [*p.162*参照]）。でも100％でない場合はどうするか？ そんな場合は簡単に、「……するかもしれない」I might＋動詞という。例えば、会社の経営状況を聞かれて、100％大丈夫なら We're OK.。100％だめなら We're in trouble.。70％大丈夫かもしれないなら We *might* be OK.。We may... も使えるがちょっと書きことば的な響きになる。

EXERCISES

might を使って英文にしよう。
(1) 明日あなたの家の近くに行くかも。
(2) ピクニックは中止かも。
(3) 私の夫も来るかも。

[解答例は*p.*184]

これは英語で何ていうのかな？
お金を拾ったけれど、お母さんには何でもないそぶりをしたい。
気にしないで。

165

Never mind.
何でもないです/気にしないで

PRETEEN

Never mind.

What's wrong?

訳：A: どうしたの？
　　B: 気にしないで

POINT

相手に伝えようとしたことがなかなか理解されないとき、あるいはふと口にしたことが通じなかったとき、Never mind.（あ、何でもないです）とひとこといえば会話が元に戻る。話の方向を軌道修正するのにとても便利なことばである。発音は「ネブマイン」に近い。前に Oh や Ah をつけて Oh... Never mind. というとさらに通じやすい。

BE CAREFUL

相手にあやまられ、「いいんだよ」といいたいとき、No. や You're welcome.（どういたしまして）はおかしい。「何でもない」を OK, OK. というのはやや不自然（That's OK. がおすすめ）。また、Don't mind.（主語の I が欠けている）、Don't worry.（最後の about it 2語が欠けている。p.118参照）も不自然だ。一方、No problem. はカジュアルだが「いいんだよ」にピッタリの表現だ。

Stage 4
PRETEEN

Definition: Never mind. は相手に伝えようとしたことが通じなかったときなど、話の進行方向を修正するのに用いられる。I don't mind. なら「かまいません」。

GROWN-UP　I don't mind. 　私はかまわないよ

子どもたちがお客さんの足下でじゃれあって遊んでいます。

A: I'm sorry about that.
B: I don't mind.

訳：A: どうもすいません。
　　B: かまいませんよ。

ONE MORE STEP

　I don't mind. の意味は「全然平気ですよ」。「私はかまわないよ」などと訳され、やや冷たい印象を受けることもあるが、どちらかというと非常にやさしい、感じのいいことばだ。また、この I don't mind. の I を He/She にかえると He/She doesn't mind.（彼/彼女は全然平気よ）となる。これは気持ちを代弁する際に使う。相手を慰めるときにいう「ドンマイ」は和製英語で、You don't mind. も通じない。Don't worry about it. がベスト（*p.*118参照）。

EXERCISES

mind を使って英文にしよう。
(1) [冗談をいったものの通じない相手に] あ……何でもないです。
(2) [自分の車のカッコ悪さを詫びる彼氏に] 全然気にしてないわ。

これは英語で何ていうのかな？
のどが渇いている友達にミネラルウォーターを分けてあげたい。
いる？

[解答例は*p.*184]

Do you want...?

いる？/ほしい？/いります？

PRETEEN

Do you want some?

Yes, thanks.

訳：A: いる？
　　B: うん、ありがとう。

POINT

Do you want＋もの？は、ものをすすめるときの「いりますか？」または「……はどうですか？」という意味で、発音は「デュワンサッム」となる。相手に Please try some. というと No と返事しづらいが、Do you want some? なら Yes/No どちらの返事もいいやすいソフトな聞き方。例えば、珍しいものを食べていたら友達がやって来たような場合、Do you want some? という（相手はほしくなければ No thanks. と答える）。もっと丁寧な言い方は BE CAREFUL を参考に。

BE CAREFUL

「いる？」の丁寧な言い方は Would you like...?。これは例えば接客の場などでは使うが、フレンドリーではない。知り合いなら、よほど年齢が上でないかぎり、Do you want...?（……はいりますか）という。知り合いに Would you like...? はよそよそしく感じる。Do you want some? あるいは Have some. とフレンドリーに。

Stage 4
PRETEEN

Definition: Do you want...? は「……いりますか？」と誘う際の一番ニュートラルな言い方。もっと丁寧に「……いかがですか？」なら Would you like...?。

GROWN-UP　Would you like...?
……いかがですか？

スチュワーデスがシャンパンのおかわりはいかがですか、と聞いています。

A: **Would you like** a refill?
B: Yes, please.

訳：A: おかわりをおつぎいたしましょうか？
　　B: ええ、お願いします。

ONE MORE STEP

接客の際には Would you like＋もの？ を頻繁に使う。Would you like a drink/desert/more? などなど。道に迷って困っているような人には Would you like some help? というととても丁寧だ。国際線で Fish or Chicken? といわれたりするが、これは忙しいスチュワーデスが *Would you like* fish or chicken? を省略したもの。親しい人に対しては、Coffee?、Drink?、Candy? などと、ひとこと、その物の名前をいって差し出すやり方ができる。迷ったらフルセンテンスでいおう。

EXERCISES

Do you want/Would you like...? を使って英文にしよう。
［これおいしい、といわれて］
(1) もっといかがですか。
(2) もっといる？
(3) コーヒーか紅茶はいかがですか。

［解答例はp.184］

これは英語で何ていうのかな？

ファミコンをしている男の子。友だちもやりたいか聞いている。

やる？

169

Do you want to...?

……したい？ / ……します？

PRETEEN

Do you want to play?

Yeah.

訳：A: やる？
　　B: うん。

POINT

　同じ誘うでも「……したい？」と行動をすすめる際のナチュラルな表現が Do you want to＋動詞？ だ。発音＝「デュワナ」。Please play... や Would you play? なら頼んでいる感じだが、Do you want to...? なら「……したい？」や「……する？」「……します？」といった自然な誘い。このフレーズは「タメ口」ではない。例えば、Do you want to drive?（運転します？）を年上の人にいっても失礼ではない。

BE CAREFUL

　おさらいすると shall は丁寧すぎてあまり使わない。例えば Shall we drive? は「お車にいたしましょうか」とちょっと冗談っぽく聞こえる。誘い方のニュアンスのちがいを以下で確認しておこう。Would you like to drive? は「車で行きたいんですか？」、Do you want to drive? は「車で行く？」、Why don't we drive? は「車で行かない？」、Let's drive. は「車で行こう」という感じ。

Stage 4
PRETEEN

Definition: Do you want＋動詞? は、「……したい?」と、相手に行為をすすめるときの定番表現。もっと丁寧に「……してみますか?」なら Would you like to...?。

GROWN-UP Would you like to...?
……してみますか?／……なさいますか?

ディーラーのお店で、新車の試乗をしてみますか、と販売員がお客に尋ねています。

Would you like to test-drive it?

訳：試乗されますか？

ONE MORE STEP

　Would you like to...? は、丁寧な言い方なので同僚や知人など親しい人との会話で使うよりも、面識のない人との会話で使ったほうがよい。例えば、電車の中で赤ちゃん連れの女性を見て、自分の席を譲ろうと Would you like to sit here? (こちらの席に座りますか)といったり、お客に Would you like to meet...? (……[日にち]に会いますか)という感じで使う。バーに一人で来ているすてきな人に Would you like to join me? (ご一緒しませんか？)ということもできる。ちなみに自分が相手側に合流するなら May I join you?。

EXERCISES

Do you want to/Would you like to...? を使って英文にしよう。
(1) ランチ行かない？
(2) もう一杯行きますか。
(3) 今お会いしましょうか、それとも後でにしましょうか。

[解答例はp.184]

これは英語で何ていうのかな？

自転車に乗った3人。それぞれがやりたいことを提案している。

こっちのほうへ行こうよ。

171

Let's...

……しようよ

PRETEEN

Let's go this way.

Let's race.

Let's rest.

訳：A: こっちのほうへ行こうよ。
B: 競争しようよ。
C: 休憩しようよ。

POINT

　Let's ということばを知らない日本人はいないと思うが、実際に使いこなしている人は少ないかも。Let's や Let's not は「我」の強い言い方だが、欧米では自分のやりたいことを口にするのは honesty とみなされることが多い。そして、会話の主導権を取ろうと Let's をやたらに使うのである。「入ろうよ」は Let's go in. になり、また子どもなら Let's play tag. (鬼ごっこしよう) という。Let's は友だち以外に使うとしつこく聞こえる場合もある。その場合は Let's ではなく Why don't we...? といってみよう (右ページ参照)。

BE CAREFUL

　Let's は Let us の短縮形で us の中に together や with me のニュアンスが含まれているので together や with me はほとんどつけない。Let's は仲のよい人に多用される。例えば Let's have Chinese. (中華食べようよ)、OK. Let's go to Peking Diner. (いいよ。北京ダイナーに行こう)、Are they open? — I'm not sure. Let's call. (やってるかな？—わかんないなぁ。電話してみよう) といった具合である。

Stage 4
PRETEEN

Definition: Let's...「……しよう」は、おなじみの表現だが、とてもストレートなので、使いすぎるとしつこい。ソフトに誘うなら、Why don't we...?（……しませんか）。

GROWN-UP　Why don't we...?
……しませんか？ / ……しようか？

タクシーに乗ろうとしましたが、乗り場には長い列ができてしまっています。

Why don't we take the bus?

訳：バスで行きませんか？

ONE MORE STEP

　ストレートな言い方は Let's。ソフト、ノーマルな誘いなら Why don't we...?。これは決して「なんで……しないの？」ではない。「よかったら……しません？」というソフトなニュアンス。例えば、「中華食べませんか」なら *Why don't we* have Chinese food?。また「そろそろ行きましょうか」といいたいなら *Why don't we* go now? という。発音は「ワドゥウィ……」と二拍でいおう。「次回にしませんか」なら *Why don't we* do it next time?。Why don't I... といういい方もある。*Why don't I* sit here?（ここにすわりましょうか？）。

EXERCISES

Let's/Why don't we を使って次の和文を英文にしよう。
(1) 駅のそば、マクドナルドの隣の小さな喫茶店で会いましょう。
(2) ではそろそろ(終わりましょうか)。
(3) これは明日終わらせませんか。

[解答例はp.184]

これは英語で何ていうのかな？

危険なことを提案する友達に、「やめておこうよ」とひとこと。

やめようよ。

76
Let's not.
やめようよ

🧒 **PRETEEN**

Let's go to the top.

Let's not.

訳：A: あの上まで上ってみようよ。
B: やめようよ。

POINT

　Let's not. は相手の言い分を熟慮したうえで断る際に使われる。例えば友達に There's a new windsurfing school. Let's try it.（ね、新しいウィンドサーフィンの学校があるんだけどやらない？）といわれて、Let's not.（いや、やめよう）と断る。また、Let's not＋動詞の形は話を切り出すのに便利。例えば、*Let's not* go now.（今行くのはやめよう）、*Let's not* fight.（けんかはやめよう）や *Let's not* rush.（急ぐのはやめよう）となる。

✋ BE CAREFUL

アメリカ人は遠慮をしないなんてことはないし、それは他の国の人でもそう。でも、やりたくないときはきっちり Let's not.（やめようよ）というか、もしくは丁寧に「パスさせていただきます」I'd rather not. という。即座に、でも、丁寧に断ることばも覚えておこうね！　やりたいときは、OK.、That sounds good. などといおう。

Stage 4
PRETEEN

Definition:
「何かをしよう」と誘われ、「やっぱりやめよう」と断りたいときに使うのが Let's not.。その丁寧な形は I'd rather not. や No thank you. だ。

GROWN-UP　I'd rather not.
やっぱりやめておきます

カラオケを歌うようにすすめられましたが、やはり歌うのはやめようと思います。

A: You're next.
B: You're next.
C: **I'd rather not.**

訳：A:次はおまえだ。
　　B:次はおまえだ。
　　C:やっぱりやめておこう。

ONE MORE STEP

　肯定の返事だけでなく断りの返事でも、まずは最も重要なパターンから覚えていこう。それは、No thank you.（結構です）。お店で何かすすめられた場合には有効だが、友だちの誘いに対する断り方としてはちょっと強すぎ。この場合 I'd rather not.（ちょっとパスさせてもらいます）といい、そのあと Because I don't like high places.（というのも、高いところは好きじゃないんです）、I want to save my money for later.（お金をとっておきたいので）のようになるべく説明をする。

EXERCISES

Let's not/I'd rather not を使って次の和文を英文にしよう。
(1) 今はやめよう。
(2) とりあえずパスします。
(3) 無駄遣いしないようにしよう。

これは英語で何ていうのかな？

ペットを飼っているの、と尋ねられた。以前は小鳥を飼っていたのだけど……。

前はね。

[解答例はp.184]

I used to.
前はね

PRETEEN

Do you have a pet?

I used to.

訳：A: ペットはいるの？
B: 前はね。

POINT

「犬を飼ってる？」に「前はね」と答えるなら、まず I used to.（前はね）と短く答え、英語が上達すれば He was a collie. He was very smart.（その犬はね、コリーだったの。とっても頭がよかったんだ）と付け加える。みなさんも Do you study English?（英語勉強してる？）には、*I used to*. But I didn't have a chance to speak.（前はね。でも今はほとんどしゃべるチャンスがなくて）という感じかな。

BE CAREFUL

「前はね」は Before. ではなく I used to. という。「大丈夫」は OK. より I'm/That's OK. という。「場合によるね」も Case by case. というより It depends. となる。このように基本の SV（主語＋動詞）をきっちりと認識してるかどうかで英会話力の差が出る。相手に英語が通じないのは、発音などがまずいというよりも文になっていなかったり、語順が乱れたりしているからかも。SV文にさらに文を足して補足するとさらに通じやすくなる。

TRACK・40

Stage 4
PRETEEN

Definition: 今はもうやめてしまっていたり、なくなってしまっていることについて、「以前はね」と話すときに用いるのは、before ではなく I used to。

GROWN-UP You used to...
以前は……だったのに

今は太り気味の旦那さんも、以前はもっとスマートだったのです。

A: **97kg?**

B: **You used to be 77kg.**

訳：A：97キロ？
　　B：前は77キロだったのに。

ONE MORE STEP

「前は……したよ」といいたいときは I used to ＋動詞。「前に……」I would... は、意味は近いが、ほとんど口語では使わない。例えば「前は毎日のように英語を勉強したよ」は *I used to* study English almost every day. になり、「前は髪の毛がすごく長かった」は *I used to* have long hair. となる。また、I 以外の主語もよく使う。例えば Do you remember Jane? *She used to* live in that old wooden house. （ジェーンを覚えてる？　彼女は前にあの古い木造の家に住んでいたのよね）と、話を展開するのにも使える。

EXERCISES

used to を使って英文にしよう。
(1) 前は100kgだったよ。
(2) 日曜ごとに寿司を食べていたよ。
(3) 以前大阪に住んでたよ。

[解答例は p.184]

これは英語で何ていうのかな？

子どもでも新聞は読む。でも、理解できるかどうかは場合による。

場合によるね。

It depends.
場合によるね／一概にはいえない

PRETEEN

- It depends.
- Can you understand the newspaper?

訳：A: 新聞を理解できますか。
B: 場合によるね。

POINT

Yes. か No. かはっきり答えられない場合には It depends. と答える。また When、Where、Who、What などで聞かれたものの、状況によっていろいろな答えがあって何ともいえない場合にも It depends. という。例えば When do you go to bed?（いつ寝るの？）や What's the fastest way to get to Osaka?（大阪に一番早く着く方法は？）などと聞かれたら、とりあえず、It depends. と答え、それから「この場合はこう」のように説明すればバッチリ。

BE CAREFUL

会話中に口ごもって黙ってしまうことだけは避けたい。難しい日本語、例えば「時と場合による」がすぐに出てこなかったら、シンプルな表現にいいかえよう。例えば Sometimes I＋動詞.、Yes and no. などで会話をつなげる方法はたくさんある。会話をストップさせないコツは柔軟な発想で、確実に知っている簡単な英語を生かすことだ。

Stage 4
PRETEEN

Definition: 状況によって答えが変わる場合の受け答えの表現。まず **It depends.**（場合による）といい、それから具体的な説明に移ると相手にわかりやすい。

GROWN-UP　It depends on...　……による

交通渋滞がひどくて、時間に間に合うかどうかは車の流れ次第です。

A: Are we going to be on time?

B: It depends on the traffic.

訳：A:時間どおりに着くかしら。
　　B:車の流れ次第だな。

ONE MORE STEP

It depends on... で「……による」。例えば *It depends on* the exchange rate. は「交換レートによる」、*It depends on* the weather. は「天候次第だ」となる。左ページのイラストの受け答え、It depends. をフルにいうと It depends on the article.（記事によるね）。ただし It depends on... は人には使えない。「あなた次第です、あなたにおまかせします」という場合は It depends on you. ではなく It's up to you.（*p.*181参照）を用いる。

EXERCISES

It depends. を使って英文にしよう。
(1) [この仕事引き受ける？と聞かれて]場合によるね。
(2) テストの点数次第ですね。
(3) 株式市場次第だな。

[解答例は*p.*184]

これは英語で何ていうのかな？

男の子がたくさんのスキー板を前に迷っている。

お父さん、決めて。

You decide.
あなたが決めて

PRETEEN

What kind of skis would you like?

Ah...you decide.

訳：
A：どういう種類のスキー板がよろしいでしょうか？
B：ええと。お父さん、決めて。

POINT

　You decide. の意味は「あなたが決めて」。もう少し丁寧な言い方は Would you decide? となる。この言い回しはいろいろな場面で使える。例えば、"What company should we use?" "Would you decide?"（「どこの会社に下請けに出す？」「あなた、決めてもらえます？」）など。また友だちに遊園地で Where should we go?（どこ行こうか？）と聞かれて You decide.（決めてよ）と答えれば、相手は Let's go here.（じゃ、ここ行こう）と決めてくれるかも。

BE CAREFUL

　You decide. はどんな場面でも使えるが、使いすぎには注意。なぜなら国によっては自分から提案することが重視されるからだ。What do you think about...? とよく聞かれるが（p.193参照）、そのときは思いつきでもいいから、なるべく提案してみることに重点をおこう。また、好みを聞かれた場合、右ページのようにいうのもいいが、I like ~, but it's up to you. とすると、自分の好みをやんわり伝えられる。

Stage 4
PRETEEN

Definition: 「あなたが決めて」と相手に決めてもらいたいときには **You decide.**。丁寧形は **Would you decide?**。「あなたの好きなほうで」なら **It's up to you.**。

GROWN-UP   It's up to you.
あなたの好きなほうでいいですよ

チェス駒の白か黒かを選択するように聞かれましたが、相手にまかせる、といいます。

A: **Do you want to be black or white?**

B: **It's up to you.**

訳：A: 白と黒、どちらがいい？
　　B: あなたのいいほうでいいよ。

ONE MORE STEP

　まず絶対に It depends on... のあとに you を置かないこと (p.179参照)。「あなたのいいほうで」などはこの It's up to you. が広く使われるベスト表現。使用頻度も非常に高い。you のかわりに他の人を置くことができる。例えば、会社で「今度の新しい人はどこの部署に入る？」と聞かれたら、It's up to Mr. Sakurada.「桜田部長にまかせてあります」と答える。これを「あなた次第」と訳すのは不適切。「どっちでもいいよ」や「あなたの好きなほうで」は It's up to you. といおう。

EXERCISES

decide/up to を使って英文にしよう。

(1) 決めてちょうだい。
(2) 決めてもらえる？
(3) [どこに行きたい？と聞かれて] あなたの好きな所でいいですよ。

[解答例はp.184]

これは英語で何ていうのかな？

小さな岩から思い切って飛んでこっちへおいでと手招きしている。

いいからおいで。

80 Come on.

いいからおいで／行こう

PRETEEN

Come on.

訳：いいからおいで。

POINT

Come on. は「行こう」というときだけでなく、恥ずかしがっている子どもに *Come on.* Don't be shy. (いいから、恥ずかしがらずに)というように、一文を足して、大人が人を励ますときにも使う。例えば、バンジージャンプの台で飛ぼうとしている人に *Come on.* You can do it. (がんばれ！ 君ならできるぞ)といったりする。上のイラストなら、*Come on.* Don't worry about the river. (いいからおいで、［川は］だいじょうぶだから)といってもいい。

BE CAREFUL

本書でリストアップしているのは、ネイティブの子どもが身につける簡単なことばなので、ぜひ使いこなせるようになってほしいが、この Come on. は注意。例えばけんか腰で「かかってこい！」という意味で日本のテレビでも Come on. といっているのを耳にするが、この使い方は避けよう。また「早くしろ！」という場合も Come on. は避けて Please hurry. といおう。

Stage 4
PRETEEN

Definition: 「行こう」とか「いいからおいで」と励ますときの Come on.。けんか腰の Come on. は避けよう。でも交渉で「うっそー」と強くいうなら Come on.。

GROWN-UP　Come on.　うっそー/冗談はよして

路上での値段交渉。相手の提示した金額が高すぎてあきれてしまいます。

A: This is my best price.

B: Come on.

訳：A: 値段はこれくらいだね。
　　B: うっそー。

ONE MORE STEP

Come on. は相手の言い分をカジュアルに否定するいろいろな場面で使える。例えば No girls are attracted to me.(オレ全然もてないんだ)という相手に Come on. Everyone likes you.(うっそー。モテモテじゃん)という。また、心の中で毒づく際にも Come on.(うそつけ)、Give me a break.(いいかげんにしろ)などという感じになる。さらに、「冗談はよしなさいよ」「いいから」というときも、笑顔で Come on. という(私も、「英語がまったくできない！」という人に Come on, you know a little. といいたいときがあるかも)。

EXERCISES

come on を使って英文にしよう。
(1) おいおい。それはおかしいよ。
(2) かかってこい。ビビってないで。
(3) 行こう。ボクもお供するよ。

これは英語で何ていうのかな？

お店で聞こえてきた音楽。この曲、大好き！といいたい。

この歌、大好き。

[解答例はp.184]

EXERCISESの解答例

61. *p.*145 (1)Do you mean...Japan? (2)Do you mean...this or this? (3)Do you mean...you want more?

62. *p.*147 (1)That's not what I meant. (2)That's not what I meant to ask for. (3)This is not what I meant to buy. (4)That's not what you said (last time).

63. *p.*149 (1)I'll call you. (2)I'll answer it. (3)I'll try .

64. *p.*151 (1)I think you won. (2)I think I understand. (3)I think it will be ready tomorrow. (4)I think this is better.

65. *p.*153 (1)Maybe they're boyfriend and girlfriend. (2)They are probably out. (3)It's probably the TV.

66. *p.*155 (1)Most cars are Japanese in Japan. (2)Most students study hard for exams, but they don't have a chance to practice English.

67. *p.*157 (1)My apartment isn't that big. (2)I didn't think the movie was that good. (3)My husband doesn't work that much.

68. *p.*159 (1)What recession? (2)What news program do you watch? (3)What TV program do you hate the most?

69. *p.*161 (1)Which one is better this road or the highway? (2)Which one? (3)Which one is better "much money" or "a lot of money"?

70. *p.*163 (1)I'm leaving on a jet plane. (2)Are you retiring next year? (3)Where are you going for your vacation?

71. *p.*165 (1)I might be in your neighborhood tomorrow. (2)The picnic might be cancelled. (3)My husband might come too.

72. *p.*167 (1)Never mind. (2)I don't mind.

73. *p.*169 (1)Would you like some more? (2)Do you want some more? (3)Would you like coffee or tea?

74. *p.*171 (1)Do you want to go to lunch? (2)Would you like to have another? (3)Would you like to meet now or later?

75. *p.*173 (1)Let's meet near the station, at the small cafe, next to McDonald's. (2)Why don't we finish up? (3)Why don't we finish this tomorrow?

76. *p.*175 (1)Let's not now. (2)I'd rather not now. (3)Let's not waste money.

77. *p.*177 (1)I used to weigh 100kg. (2)I used to have sushi every Sunday. (3)I used to live in Osaka.

78. *p.*179 (1)It depends. (2)It depends on your test score. (3)It depends on the stock market.

79. *p.*181 (1)You decide. (2)Would you decide? (3)It's up to you.

80. *p.*183 (1)Come on. That's ridiculous! (2)Come on. Don't be scared. (3)Come on. I'll be there with you.

> これ、大好き。

通りを歩いていたら、大好きな曲が流れてきた。思わず口に出た英語は……。

Stage 5
TEENAGER

思春期の中学生。Just joking.、It's your imagination. など、使うことばもちょっと気どって。

81 I love this !

これ、大好き

TEENAGER

Me too.

I love this song!

訳：A: これ、大好き！
B: 私も。

POINT

love は「大好き」という意味でよく使う。ここでは以前聞いたことのある曲が聞こえてきたので、「あ、これ大好き」といっている。初めて聞く曲なら、This is a great song. (あ、この曲サイコウだね) というような言い方をする。でも以前聞いたことがある曲、あるいは食べたことがある大好きな食べ物、見たことがある大好きな絵なら、I love this song/food/picture. といえる。要するに love は自分の好みをいう表現だ。

BE CAREFUL

人に対してはあんまり I love を使わないほうがいい。例えば、I love Johnny Depp. といえば、たぶん、この人は「ジョニー・デップが大好きなのね」で通じると思うが、人を目的語にするとそれこそ「愛している」という意味になる。俳優などについていう場合には、Johnny Depp is great!、または Matt Damon is my favorite actor. のようにいうのが自然である。

Stage 5
TEENAGER

Definition: love は「（人を）愛する」だけではなく、「これ、大好き」と好みをいう場合にも使われる。「あまり好きじゃない」というときは文末に very much をつける。

GROWN-UP I don't like...very much
……はあまり好きじゃない

ホラー映画のビデオを借りよう、と提案されましたが、あまり好きではありません。

A: Let's get this horror film.
B: **I don't like** horror films very much.

訳：A: このホラー映画を借りようよ。
　　B: 僕、ホラー映画ってあんまり好きじゃないんだよね。

ONE MORE STEP

最後に very much をつけた場合とつけなかった場合では、相手に与える印象がぜんぜんちがう。I don't like fast food.（ファストフードが好きではない＝なるべく食べないようにしている）と I don't like fried foods *very much*.（揚げ物があんまり好きではない＝たまに食べるけど、できれば別のがいい）くらいのニュアンスの差がある。あんまり好きではないんだけど……とソフトに伝えるには、例えば、車の中で嫌いな音楽がラジオから聞こえてきたら、I don't like this music *very much*.（この曲はそれほど好きではないんですが）という。

EXERCISES

love/like を使って英文にしよう。
(1) あなたのセーター、いいわよね。
(2) この番組大好き。
(3) このコメディアン、あんまり好きじゃないわ

これは英語で何ていうのかな？
コンサート中。でも咳が出るのはどうしようもないし、止められない。
しょうがない。

［解答例はp.226］

I can't help it.

しょうがない

TEENAGER

A: Shhh!
B: I can't help it.
(Cough! Cough!)
A: Shhh!

訳：A: しーっ！
B: しょうがないじゃない。

POINT

I can't help it. は「だってしょうがない！」と言い返す軽い反抗的なことば。自分のコントロール外のことで責められたら、I'm sorry. に加え、I can't help it. と言い返すのが自然だ。ここでは it はセキのこと。フルセンテンスでいうと、I can't help coughing.（セキが出るのは仕方がない）。パターンは I can't help ＋ -ing。エルビス・プレスリーの曲の *Can't help falling in love*（愛さずにはいられない）もそうである。

BE CAREFUL

「しょうがない」を整理しておこう。上記のように「だってしょうがないじゃない」と軽く反論する感じなら I can't help it.。軽いミスについて「ま、しょうがないか」という場合は Oh, well.（*p.68*参照）。この状況はどうしようもない、ということなら There's nothing we can do about it.（右ページ参照）。「くよくよしてもしょうがない」という前向きな意味なら、Let's not worry about it any more.。

Stage 5
TEENAGER

Definition: I can't help it. は、コントロール外のことで責められたときに、言い返すことばだ。ソフトに「しょうがない」は There's nothing we can do about it.。

GROWN-UP　There's nothing we can do about... ……はしょうがないよ

せっかくのパレードの日。あいにくの雨降りですが、どうしようもありません。

A: I can't believe this rain.
B: **There's nothing we can do about** it.

訳：A: 雨が降るなんて信じられない。
　　B: どうしようもないよ。

ONE MORE STEP

　望ましくない結果が出ると「どうしよう」「何とかしよう」という人もいれば、「しょうがないよ」という人もいる。「しょうがないよ」というときには、具体的に、There's nothing we can do about... (……は仕方がない) という表現にしよう。例えば「雨」についてなら There's nothing we can do about the rain.、「いやな人」なら There's nothing we can do about him.。株 (の値下がり) なら There's nothing we can do about the stock market. などといえる。We can't help it. とほぼ同じ意味。

EXERCISES

can を使って英文にしよう。
(1) いねむりするのはしょうがないじゃん。
(2) 彼の態度については私にはどうすることもできないよ。
(3) わが社ではどうすることもできません。

[解答例は p.226]

これは英語で何ていうのかな？

e-mail のチェックを頼まれたが、やり方がよくわからない。

どうやったらいいのか、よくわからない。

83
I'm not sure how.
どうやったらいいのか、わかんないよ

TEENAGER

I'm not sure how.

Can you check mommy's e-mail?

訳：A: お母さんのe-mailチェックしてくれない。
B: どうやったらいいのか、わかんないよ。

POINT

何かを頼まれたりしたとき、I'm not sure how. というと「ちょっとやり方に自信がないよ」というソフトな意味になる。この I'm not sure how. は機械の操作方法や、用紙の記入方法や、行き方がわからないというときなどにも使える。I'm not sure＋5W（when、where、who、why、what）も便利な表現。「いつになるかはっきりしない」も I'm not sure *when*. と簡単にいえる。

BE CAREFUL

I'm not sure how. といったら、おそらく相手はやり方を教えてくれる。「自信がないけどやってみたい」という前向きな気持ちが伝わるからだ。I don't know/understand. でも意味は伝わるが、何とかやってみようという気持ちは伝わらない。英語のよく使うイディオムのひとつに Meet me halfway.（歩み寄る）があるが、I'm not sure how. もそのようなことばのひとつだ（*p.106*参照）。

Stage 5
TEENAGER

Definition: I'm not sure how. は「ちょっとやり方に自信がない」。けれども「やってみたい」前向きな気持ち。文末に to explain it をつけて「説明の仕方がわかりません」。

GROWN-UP　I'm not sure how to explain it.
どう説明していいかわからない

「どうもすみません」ということばの意味を聞かれましたが、うまく説明できません。

A: What's "doumo sumimasen" mean?

B: I'm not sure how to explain it.

訳：A:「どうもすみません」ってどういう意味？
　　B: どう説明していいかわからない。

ONE MORE STEP

日本独特のものは説明しづらい。それを説明する「アプローチことば」は I'm not sure how to explain it.（どう説明していいかわかりません・説明できるか自信がありません）だ。こういったあとで、補足しよう。上記の例では When people want to say "thank you" in Japanese, sometimes they say "sumimasen."（日本ではありがとうといいたいとき、ときどき「すみません」という）のようにいうといい。

この「I'm not sure＋疑問詞」の応用例として、I'm not sure what to say.（何ていったらいいかわかりません）も便利。

EXERCISES

I'm not sure を使って英文にしよう。
(1) なぜなのかちょっとわからない。
(2) 何ていったらいいかな。
(3) どう説明すりゃいいのかわからないけど、やってみるよ。

[解答例はp.226]

これは英語で何ていうのかな？

初めて連れてきたボーイフレンド。母親に印象を聞いている。

どう思う？

What do you think?
どう思う？/どう？

TEENAGER

> What do you think?

> He's nice.

訳：A: どう思う？
　　B: いいじゃない。

POINT

　What do you think? は、軽く「どう？」と尋ねるときにも、「ご意見は？」と尋ねるときにも使える。例えば、I think German cars are too big for Japanese streets. *What do you think?*（ドイツの車は日本の道には大きすぎると思うが、あなたはどう思う？）。とにかく**どんなに単純で、あんまり考えていないような内容でも、欧米では意見や感想を交換することは大人としての印**。その場で意見をいわない人を見下す傾向がある。

BE CAREFUL

　聞き上手、つまり、会話上手になろう。そのコツは、相手が答えたくない質問（How old are you?）や、ずうずうしい質問（When are you leaving Japan?）、あるいは当たり前すぎる質問（そば屋でそばを食べている外国人に Do you like soba? というような）を避けること。それより、感想などを話したくさせるような質問をするようにしよう（*p.*71参照）。

Stage 5
TEENAGER

Definition: What do you think? は「どう？」や「どう思う？」。What do you think about...?（……についてどう思う？）はより具体的に話題の焦点をしぼっている。

GROWN-UP What do you think about...? ……をどう思う？

新しい大統領をどう思うか、意見を求めます。

A: **What do you think about the new president?**

B: **I'm not sure. I hope he can improve the economy.**

訳：A: 新しい大統領、どう思う？
　　B: なんともいえないけど、経済状態をよくしてほしいよ。

ONE MORE STEP

What do you think about...? は What do you think? とちがい、会話を切り出すときにも使える。混乱しやすいポイントは、「どう思う」というのが、What から始まるか、How から始まるかということだが、どちらでもよい。ただし、What で始まるときには What do you think (about...)?、How で始まるときには、How do you feel (about...)? となる。What...? のほうが冷静に意見を求めているという感じで、How...? は気持ちを尋ねている。両方とも似た表現なので、どちらを使っても感想を引き出すことはできる。

EXERCISES

What を使って日本語の部分を英文にしよう。

(1) I think this project is a waste. 君はどう思う。

(2) My company would like to buy that building. 御社はどうお考えですか。

[解答例は p.226]

これは英語で何ていうのかな？

フリースローをしようとするチームメートを落ち着かせようと……。

あわてないで。

Take your time.

ゆっくり時間をとって／ごゆっくりどうぞ／あわてないで

TEENAGER

「Take your time.」

訳：あわてないで。

POINT

Just a moment.（ちょっと待って）といわれたときに「どうぞどうぞ」という気持ちで Take your time.（ごゆっくり）という。また、I'm sorry, I have to do one more thing.（ごめん。もうひとつだけやっておかなくちゃいけないんです）と謝られたときも Take your time.（ゆっくりどうぞ）。この文の先頭に Please をつけて、Please take your time. というと、「どうぞゆっくりしてください」。

BE CAREFUL

国際電話をかけて「待っていただけますか」といわれたときなどには、Take your time. とはいわないかも。もしホテルの交換の係に Would you please wait?（お待ちいただけますか）といわれたら All right. But please hurry. I'm calling from Japan.（いいですよ。でも急いでくださいね。日本からかけてるんですから）といってみよう。

Stage 5
TEENAGER

Definition: 「ちょっと待って」といわれたときに、「どうぞ」という気持ちで、「ごゆっくり」のときに Take your time. という。

GROWN-UP Take your time with...
……に時間をかけて

会社の会議。新しいプロジェクトには時間をかけよう、とボスがいっています。

A: **Take your time with** this project.
B: OK. We'll do our best.

訳：A: このプロジェクトには時間をかけよう。
　　B: わかりました。全力を尽くしましょう。

ONE MORE STEP

Take your time with... は「……は急がなくても結構です」にも、「……には気をつけていこうね」にもなる。Take your time with... を使って注意を促す場面もある。例えば、急いでいるタクシードライバーがあせってトランクに荷物を詰めこもうとするようなときには、Please *take your time with* my bags. という。また、*Take your time* on the stairs. といえば、「ゆっくり、気をつけて階段を降りてね」ということ。

EXERCISES

Take your time を使って英文にしよう。
(1) [図書館で子どもに児童書のコーナーに行って見てきていい？ と聞かれて] ゆっくり見といで。
(2) 彼と慎重に対応してね。
(3) 十分考えて決断してください。

［解答例は*p.226*］

これは英語で何ていうのかな？

お目当ての雑誌がもう売り切れとのこと。信じられない思いで確認。

間違いない？

Are you sure?
ほんと？／間違いない？

TEENAGER

> They don't have the magazine.

> Are you sure?

訳：A: もうあの雑誌、売り切れたんだって。
B: 間違いない？

POINT

　Are you sure? は「本当？」と軽く確認するときに使う。Really? と似ているが、Really? はあいづちをうつことばで、まともに「本当ですか」と聞いているわけではない。しかし Are you sure? というとあいづちというより、「それって本当ですか」と本気で聞いている。例えば、The total is $129. (合計129ドル) と、思ったよりもちょっと高い勘定をいわれたときに、Are you sure? (本当ですか？) のように使う。

BE CAREFUL
軽いあいづちから真剣に問い返すあいづちまでを段階的に示すと、
(1) Is that right? (あ、そう？)
(2) Really? (そうなの？)
(3) Are you sure? (本当ですか？)
(4) Are you kidding? (え？ 冗談でしょう)
(5) Are you serious? (マジ!?)

Stage 5 TEENAGER

Definition: 軽いあいづちの Really? とちがい、Are you sure? は「本当?」と軽く確認するときに使う。

GROWN-UP　Are you serious?
それ、ホント?／マジ?

同僚が営業部長に昇進した話を聞いてびっくりです。とても本当だとは思えません。

A: Cathy got promoted to VP of sales.

B: Are you serious?

訳：A: キャシーが営業部門の部長に昇進したんだって。
　　B: それ、マジ?

ONE MORE STEP

Are you serious? には「マジ?」という日本語がピッタリ。「ちょっと待って、それは大変だ」という意味でも使う。例えば、海外旅行に出発する直前に、空港で相棒が I forgot my passport.（パスポートを忘れた）といったら、Are you serious?（マジ?）と答える。Are you serious? より強いのは、Are you crazy?（バカか?）や Give me a break.（冗談はやめてよ）。人ではなく、ニュースや報告などについては、This can't be true.（こんなのありえない）という。

EXERCISES

Are you を使って英文にしよう。
(1) 本当?
(2) マジ?
(3) 冗談だろ。

[解答例はp.226]

これは英語で何ていうのかな?

母親にどうしたのかと聞かれた。あとで説明するから、と伝える。

あとでね。

87 I'll tell you later.
あとでね

TEENAGER

A: What's wrong?
B: I'll tell you later.

訳：A: どうしたの。
　　B: あとでね。

POINT

　I'll tell you later. の意味は「あとで教えるよ」で、話をあと回しにするための表現。例えば、第三者にはちょっと話を聞かれたくないというときに、I'll tell you later. という。あるいは、「今そんな話をしている場合か」と、ちょっとタイミングが悪いときなどにも使う。later のかわりに I'll tell you *after* I get back to the office.（会社に戻ったら教えるよ）のように、after... で他の時間を示す表現を入れることもできる。この「教える」を teach としないように。

BE CAREFUL

　「腕、どうしたの？」What happened to your arm? といわれて、単純にちょっと話したくないときに、I'll tell you later. というのは、あまり感じのいい返事ではないけれども、黙っているよりもよい。ソフトに「ごめん、あとにしていい？」というなら、Is it OK if I tell you later?。もし相手が「今、教えてよ」といったら OK. But let's talk in private.（わかった。でも、2人だけで話そう）。

Stage 5
TEENAGER

Definition: I'll tell you later. は「あとで教えるよ」と話をあと回しにする表現。「わかったらお伝えします」は I'll let you know. となる。

GROWN-UP I'll let you know...
……に知らせます/わかったらお伝えします

オーディションの審査結果を尋ねたところ、「翌日に知らせます」といわれました。

A: Did I get the part?
B: I'll let you know tomorrow.

訳：A: 役は私に決まりましたか？
　　B: 結果は、明日、伝えます。

ONE MORE STEP

　このパターンは I'll let you know の最後に Wednesday、later、next week のように時間を入れる。

　Are you going to be there this weekend?（週末にそこにいますか）と聞かれて、まだわからないのなら、I'm not sure, but *I'll let you know.* が感じがよい。「まだわかりません」I don't know yet. ときっぱりいうより「わかったらすぐお伝えします」のようなニュアンスだからだ。この「教える」「伝える」は teach でなく tell または let you know。

EXERCISES

tell / let を使って英文にしよう。
(1) 夕食の後で教えるよ。
(2) できるだけ早くいうよ。
(3) すぐに教えてくれますか。

[解答例は p.226]

これは英語で何ていうのかな？
ふたを開けられないおばあちゃんに「僕がやってみる」という。
私にやらせて。

Let me + 動詞

私に……させて

👦 TEENAGER

> I'm not sure how to open this.

> Let me do it.

訳：A: 開け方がよくわからないよ。
B: 僕にやらせて。

POINT

　基本は「Let me＋動詞」で、「私に……させて」だが、もてなしにも使える。例えば、「今日は私に払わせて」＝「私のおごりよ」＝Let me pay today. や、Let me help you.（お手伝いしましょう）。小さいころ、妹がおもちゃ何かがほしくて泣いているときに母がよくいっていたのは「妹にあげなさい」Let her have it. だ。Let と動詞の間の「だれだれ」にあたる部分をかえる。

✋ BE CAREFUL

　「見せてよ」というと親しい人同士の話だが、知らない人には命令形だからちょっときつい口調。しかし命令形の先頭には Would you をつけるだけでソフトで丁寧になる。だから、Let me see it. は Would you let me see it?（私に見せてくれますか）となる。例：Would you let me do it later?（あとでさせてくれますか）、Would you let my daughter try?（娘にもやらせていただけますか）

Stage 5
TEENAGER

Definition: 「……させて」は Let me＋動詞。Let me do it. は「やらせて」と親しい人同士で使われる。ただし、Let me know. は「(わかったら)知らせてね」になる。

GROWN-UP Let me know. 決まったら教えて

芝居の舞台裏。自分の出番がきたら教えて、とお願いします。

A: Is it my turn?
B: Not yet.
A: OK. Let me know.

訳：A: 私の出番？
　　B: まだだよ。
　　A: 出番がきたら知らせてね。

ONE MORE STEP

「じゃ、教えてね」という意味。OK. Let me know. はプッシュしているのではなく、ソフトに「じゃ、決まったら教えてね」の意味。「……になったら、教えてね」というのは Let me know when...。例えば、「彼が電話してきたら、教えて」は *Let me know when* he calls. となる。両方とも先頭に Would you があったほうがもっと丁寧。「連絡をお待ちしています」も Let me know. でソフトに伝わる。頭に please をつけるとやんわり催促する表現になる。

EXERCISES

let を使って英文にしよう。
(1) 雨がやんだら教えて。
(2) 私にやらせていただけますか。
(3) 3番街に着いたら知らせてくれますか。

[解答例はp.226]

これは英語で何ていうのかな？

暑い日のオープンカーは気持ちよさそう。僕もほしいなあ……。

……だったらなあ。

I wish...

……だったらいいなあ

TEENAGER

I wish I had a car.

訳：僕にも車があったらいいなあ。

P O I N T

I wish...は、「できないこと/できなかったこと」と後悔を表すことば。例えば、*I wish* I spoke French.（フランス語が話せたらよかったのに）。また、*I wish* I charged my cellphone more.（携帯、もっと充電しとけばよかった＝愚痴）。また、*I wish* I were a dolphin.（自分がイルカだったらよかったのに＝不可能）のようにも使う。I wish I had...も便利。例えば、*I wish I had* her e-mail address.（彼女のメールアドレスを知ってればよかったんだけど）。

BE CAREFUL

I wish、I hope、I want、I'd like の使い方を混同しないように。例えば「フロリダへ行きたい」I want to go to Florida. というのは自分の希望をいうことば。航空券がほしいと相手に頼む「……へ行きたいんですが」は I'd like to go to Florida.。wish は I wish I could go to Florida.（フロリダに行けたらいいな）のように、「できないこと、できなかったこと」に対して使う。

Stage 5
TEENAGER

Definition: I wish I... は「……あったらいいのに」という残念な気持ちを表す表現。I wish I could, but... は「……したいのはやまやまですが」となる。

GROWN-UP I wish I could, but...
そうしたいのはやまやまですが……

娘のバレエの発表会の日、お父さんは出張へ行かなければならず残念そうです。

A: Daddy, are you going to be at my recital?

B: **I wish I could, but** I have to be out of town.

訳：A: パパ、バレエの発表会に来てくれる？
　　B: そうしたいけど、いないんだ。

ONE MORE STEP

　I wish I could. の意味は「できたらいいけど……」。何かの誘いを断るときには、こういってから、「but＋適当な言い訳」を続ける。例えば、オフィスで Let's go to lunch. とお昼に誘われて、行きたいけど行けないというときは、*I wish I could*（行きたいのはやまやまなんですが）といい、それから、*but* I am very busy right now.（今すごく忙しいんです）という。「……したかったのに」をフルセンテンスでいうなら could のあとに go、do it など動詞を入れることがあるが、I wish I could. というだけでいい。

EXERCISES

I wish を使って英文にしよう。
(1) 私も行けたらよかったのに。
(2) そうしたいけど、電話を待っていなきゃならないの。
(3) デートに行ければいいんだけど、この本を読み終えなきゃならないんだ。

［解答例は p.226］

これは英語で何ていうのかな？

アメフトの試合の応援に来ている女の子。勝つといいね、という。

勝つといいね。

I hope...

……するといいね/……になるといいね

TEENAGER

A: I hope we win.
B: Me too.

訳：
A: 勝つといいね。
B: そうねえ、私も そう思うわ。

POINT

I hope... は「これから……になるといいね」という希望を表す。例えば、「間に合うといいね」は *I hope* we are on time.、「体の調子がよくなるといいね」は *I hope* you get well soon. で、日本語の「お大事に」にあたる。また、*I hope* we will win.（勝つといいね）の will は入れても入れなくてもいい。「……がほしい」とか「……したい」というときには「I'd like ...」を用いる。後悔、「だったらいいのに」などの愚痴は I wish... で表す。

BE CAREFUL

I hope のあとは必ず主語と動詞がくる。例えば、「お天気だといいね」は I hope sunny. でなく I hope it is sunny.。ちなみに、ここで I wish it were sunny. といってしまうと、晴れていないことに対する文句になる。同様に、I wish we won. というと、「勝てばよかったのに」ということになる。また、I hope you understand.（ご了承ください）は覚えておくと便利な表現だ。

Stage 5
TEENAGER

Definition: 「I hope 主語＋動詞」は、「これからこうなるといいね」という、しつこくないさわやかな願いを表す。「こうならないといい」は「I hope＋否定文」になる。

GROWN-UP I hope it doesn't...
……にならないといいですね

ゴルフをしていたら、空が曇って雨が降りそうな気配になってきました。

A: **I hope it doesn't** rain.
B: Me too.

訳：A:雨が降らなけりゃいいけど。
　　B:そうですね。

ONE MORE STEP

　I hope＋否定文は会話に欠かせない「……にならないといいね」。天気については、*I hope* it does*n't* rain. (雨が降らないといいね)、*I hope* it *isn't* windy. (風が強くないといいね)など。I hope のあとに you を主語にして否定文がくると、*I hope* you *aren't* angry. は「怒っていないよね、ね、ね」という感じ。また、*I hope* the negotiations *don't* fail. (この話し合いが駄目にならないように願っている)。また自分の行動が正しいかどうかを確認することもできる。例えば、「早く来ちゃったんじゃないかと心配している」は *I hope I'm not* early. 。

EXERCISES

I hope を使って英文にしよう。
(1) また会えるといいね。
(2) 彼が来ないといいんだけど。
(3) バス早く来ないかな。

これは英語で何ていうのかな？

マウンテンバイクがほしい男の子がお母さんにおねだりしている。

お願いがあるんだけど。

[解答例は*p.226*]

91 I have a favor to ask.

お願いがあるんだけど

TEENAGER

A: I have a favor to ask.
B: What now?

訳：
A: お願いがあるんだけど。
B: 今度は何？

POINT

意味は「ちょっとお願いがあるんだけど」。これは本題に入るための「アプローチ」のことば。I have a favor to ask. のあとは、何に対してお願いをするのかをわかりやすく、ステップ・バイ・ステップでいう。もっと丁寧な言い方は、I'd like to ask you a favor.、ちょっとストレートな言い方は I need a favor.。「お願い」の内容が駄目と思ったら I'm sorry I can't do that right now.。また、「様子をみよう」なら We'll see. (p.42参照) という答えになる。

BE CAREFUL

英語教育や試験では長い一文や難しい単語一語で勝負しがちだが、本当の会話力のカギは、連続文。いきなりお願いをいわず、丁寧に段階をふんで頼むのが一番いい。シンプルな文を連続させるのがコツ。上のフレーズをいったあとに、「デパートで見た自転車をおぼえてる？」Do you remember that bike at ABC Department Store?、「それをすごく買いたい」I'd really like to buy it. のように。

Stage 5
TEENAGER

Definition: I have a favor to ask.「お願いがあるんだけど」は、本題に入る前のアプローチのことば。

GROWN-UP I'd like to ask you a favor. お願いがあるんですけれども

旅行に行っている間、ネコの世話をしてほしい、と隣家の奥さんにお願いします。

A: I'd like to ask you a favor. Would you take care of my cat while I'm away?
B: When are you going to be back?

訳：A: お願いがあるんですけど。家をあけている間、ネコの世話をしていただけますか？
B: いつ戻って来られるんですか？

ONE MORE STEP

丁寧に依頼をするステップを見ておこう。(1) I'd like to ask you a favor.（お願いがあるんですが）(2) I need some things at the store.（店で必要なものがあるんです）(3) Would you get these things?（買ってきてくれませんか？）［といってリストを見せる］。依頼の丁寧さの度合を上げていく例を見よう。「もう一度サインをお願いします」は［Please sign again.］→ Would you [please sign again]? → Excuse me. Would you [please sign again] here? → Excuse me. I'd like to ask you a favor. Would you [please sign again] here? のようになる。

EXERCISES

a favor を使って英文にしよう。

(1) ちょっとお願いしたいんだけど。犬を散歩させといてくれない。
(2) お願いがあります。一緒に写真を撮ってもらえますか。
(3) お願いがあります。本を書きたいのですが、何かアドバイスいただけないでしょうか。

［解答例はp.226］

これは英語で何ていうのかな？

妹の髪の毛を切ろうとしているお姉さんが、自信をもって妹にいう。

まかせなさい。

92 Trust me.

まかせて

TEENAGER

Wait! How are you going to do it?

Trust me.

訳：A: どういうふうに するつもり？
B: まかせなさい。

POINT

Trust me.（まかせて）は響きがいいし、相手を安心させることができるし、説明などがやっかいなときにも便利だ。「まかせて」「いいから」とソフトにいうとき、Don't worry.（心配しないで）ではなく、Trust me. と肯定的にいおう。フルセンテンスは You can trust me.。また、I know I can trust you. というと、「信じているから、お願いね」と軽くプレッシャーを与えて念押しする感じになる。

BE CAREFUL

できるかどうか100％わからないという状況でも、「えーと、できるかどうかちょっと……」という営業マンと、「よし、何とかしてみます」という営業マンなら、誰だって自信と前向きな姿勢のある後者を選ぶだろう。約束ではなく一生懸命、頼みに答えようとする気持ちで I'll do my best. Trust me.（ベストを尽くしてがんばるから、信頼してください）と合わせていうといい。

Stage 5
TEENAGER

Definition: Trust me. は「まかせて」。「……のことならまかせて」は Trust me when it comes to... という。

GROWN-UP   Trust me when it comes to...   ……のことならまかせてよ

お寿司のこととなったらまかせてください、と胸をはっていいます。

A: **Trust me when it comes to sushi.**

B: **OK. You're the boss.**

訳：A: 寿司のことならまかせてよ。
　　B: よし、まかせた。

ONE MORE STEP

　Trust me.（まかせて）の応用・発展の形として Trust me when it comes to...（……に関してはまかせてね）がある。自信をもっていることを、どんどんおもてに出すことで、安心感を与えられるだけではなく、会話のキャッチボールが生まれる。例えば、「買い物上手」な人なら、*Trust me when it comes to* discount shopping.（お得な買い物の仕方ならまかせてね）。自分の街の道に自信があるなら、案内しながら *Trust me when it comes to* this town's roads.（この街の道についてはまかせてね）などと積極的にいってみよう。

EXERCISES

trust を使って英文にしよう。
(1) まかせて。あなたのためにがんばるから。
(2) 東京の電車のことならまかせてよ。
(3) アメリカの女性についてならまかせな。

[解答例は p.226]

これは英語で何ていうのかな？

冗談を真に受けたお母さんに向かって、今のは冗談だといいたい。

冗談だよ。

Just joking.
冗談よ

TEENAGER

A: Oh! Where's the rat?
B: Just joking.

訳：A: ネズミはどこ？
　　B: 冗談だよ。

POINT

　フルセンテンスは I'm just joking.。これについては主語を省略したほうが軽く楽しい感じが出る。冗談だと相手が気づかないときに、一拍をおいて、Just joking. という。また、相手との間にズレが出ることは誰にでもあるから、その場を収めるためにも「あ、冗談です」Just joking. といえばいい。これは自分の言語保険になるから覚えておいてほしい。Never mind.（p.166）とあわせて使いこなそう。

BE CAREFUL

　英語を話すとなると緊張する。その対策としては、会話を軽いノリにして冗談をいってみるのがひとつ。ただしダジャレや直訳の英語に、自分でウケてしまわないように。例えば、「私は還暦です」を I'm return age. といって自分で笑っていると、日本語のわからない人には、「この人は何で笑っているんだろう」で終わってしまう。シンプルで通じる英語で、笑いをとるようにしよう。

Stage 5
TEENAGER

Definition: Just joking. は軽く「冗談だよ」と相手をいなす言い方。It's just... は「ただの……だよ」という意味になる。

GROWN-UP　It's just...　ただの……だよ

突然サイレンの音に驚いた人に……。

It's just a test.

訳：ただの訓練だよ。

ONE MORE STEP

　It's just... は誤解をとく場合によく使われる表現。相手がささいなことで大騒ぎしているなら It's just a small problem.（たいした問題じゃないよ）。あるいは、ウニをいやがる外国人に、It's just seafood. It's not poison.（単なる魚介類で、毒じゃありませんよ）。また主語を I に換えて、例えばお店で服などを探しているときに、「何を探しているんですか」と聞かれたら、I'm just looking. という便利な表現ができる。この just は only と入れ替えられるが、just のほうが「ただの……だよ」という気軽でソフトな感じがある。

EXERCISES

Just を使って英文にしよう。
(1) うそうそ、からかってみたんだよ。
(2) 僕はただのアルバイトです。
(3) 雨なんか大したことないよ。

[解答例は p.226]

> 値段が全然ちがう靴について、どこがちがうのか教えてもらいたい。
>
> どこがちがうんですか？
>
> これは英語で何ていうのかな？

94 What's the difference?
どこがちがうの？／どうちがう？

TEENAGER

> What's the difference?

> These are $59.99.
> These are $129.99.

訳：
A: こちらが59.99ドル、こちらが129.99ドルです。
B: どこがちがうんですか。

POINT

「どこがちがう？」には2つの訳がある。1つは Is there a difference? というシンプルな表現だ。もう1つは What's the difference?。これは**責めているわけではなく、本来は単なるちがいの説明を求める表現**。しかし、「そんなの関係ないよ」「どっちでもいいでしょう」という意味にもなる。例えば誰かに「別のやり方でやってよ」といわれて、ムカッとして What's the difference?!（どっちでも変わらないじゃん）と言い返すような場合だ。

BE CAREFUL

日本語の会話はスポーツに例えるとボウリングで、英会話はバスケットだ。誰がいつボールを奪っても自由で、そのボールを取る表現が英語の疑問文。アメリカの学校で Ask good questions.（いい質問をしなさい）とよくいわれた。欧米では What's the difference (between A and B)? や What about...?（*p.74*参照）のような質問をする子がベストと考える。

Stage 5
TEENAGER

Definition: What's the difference? は「どこがちがうの?」と、単なる説明を求める表現。後に between...and... と比較するふたつのものをあげるとさらに具体的になる。

GROWN-UP What's the difference between ~ and...? ～と……はどこがちがうの?

同じコンピューターを使っているのに、何がふたりの仕事の差を生んでいるのでしょう?

A: **What's the difference between** your computer **and** mine?

B: Maybe it's the user.

訳：A: 君のコンピューターと僕のとどうちがうんだろう。
B: たぶん使っている人がちがうのね。

ONE MORE STEP

What's the difference between ... and ~? は「……と～はどうちがう?」。日本語では「どうちがう」だけれども、How は使わない。なるべく最後に A and B のような選択肢を出したほうが間違いなく通じる。例えば、「あなたと私のプランはどこがちがうのか」と聞きたいのなら *What's the difference between* your plan *and* mine? という。最後に A and B を出さないなら、*What's the difference between* those two machines? のように複数形にしたほうがいい。

EXERCISES

difference を使って英文にしよう。
(1) 何がちがうの。
(2) 君のと僕のとはどうちがうの。
(3) 日本人と中国人の顔のちがいは何。

[解答例は p.226]

これは英語で何ていうのかな？

道に迷ってしまった。携帯電話でそのことを伝えたい。

迷っちゃった。

95 I'm lost.
迷っちゃった

TEENAGER

I'm lost.

訳：迷っちゃった。

POINT

　場所がわからないとき、「あのすみません、ちょっとお尋ねしたいのですが」と前置きをするとスムーズだ。そのような「アプローチことば」は Excuse me.。それに続けて、この I'm lost. をいうと、たいていの人は教えてあげようという気になる。それから Where is... ? / I'm looking for... などと何を探しているかを話せばよい。迷っているような人には Are you lost?、また、困っている様子なら Do you need help? というといい。

BE CAREFUL　リスニングで英語のリズムと音に慣れることは大事だが、実際には耳で勝負するのではなく、相手に歩み寄ってもらう、話すスピードを落としてもらう、やさしいことばで言い直してもらうことで、コミュニケーションが成り立つ。I'm sorry. I'm lost.（右ページ参照）、What's that mean...?（p.60）、Just a little.（p.32）、Do you mean...?（p.144）などの話し方のテクニックを活用しよう。

Stage 5
TEENAGER

Definition: I'm lost.（迷っちゃった）は「……を探している」と切り出す前の「アプローチことば」。この前置きで、本題にスムーズに入ることができる。

GROWN-UP　I'm sorry. I'm lost.
すみません。話がわからなくなったんですが

学者が難しいことを話すので、新聞記者は話についていけなくなってしまいました。

A: ...so the motion causes a negative reaction.

B: I'm sorry. I'm lost.

訳：A:……それでその動きがネガティブリアクションを引き起こすのです。
　　B:すいません。チンプンカンプンなんですが。

ONE MORE STEP

　I'm sorry. I'm lost. は「ごめんなさい。チンプンカンプンでわかりません」。セットでいう。相手の話がわからなくなったときに、何もいわないより相手をさえぎっても、ちゃんと I'm very sorry. I'm lost. というほうがいい。相手も逆に好感を持ってゆっくり話してくれるだろう。これは会話のテクニックのひとつだ。I don't understand. も OK だが、I'm sorry. I'm lost. はとてもいい助けを求める表現で、謙虚に「私の理解力のせいで、すみませんがわかりません」ということになるからだ。

EXERCISES

lost を使って英文にしよう。
(1) ちょっと待って。全然わかりません。
(2) すいません。わかんないんですけど。
(3) ごめんなさい。チンプンカンプンです。今いったことをもっとゆっくりいっていただけませんか。

［解答例は p.226］

これは英語で何ていうのかな？

イタズラした友だちが勘づいた。でも、聞かれても知らないふり。

気のせいじゃない？

96
It's your imagination.
気のせいよ

TEENAGER

Is everyone laughing at me?

It's just your imagination.

訳：A: みんな僕のこと笑ってない？
B: 気のせいじゃない。

POINT

「……のせい」はたいてい It's... のシンプルな文でいえる。例えば、「今、何か音がしたぞ！ 誰かいる？」といわれ、「風のせいだよ」なら It's the wind.。また「今日は眠そうよ」といわれ、「薬のせいです」なら It's my medicine.。海外旅行先で「眠そう」といわれ、「時差ぼけのせい」なら It's jet lag.。この表現も主語が命。また、it's のあとに just を入れると「何でもない」のニュアンスがよく伝わる。ちなみに「自分の気のせいかな」は Maybe it's just my imagination.。

BE CAREFUL

難しい英語を覚えても、いざというときぱっとでない。シンプルで覚えやすいのが使える英語だ。It's your imagination. よりもっと難しい英語、例えば You are under a delusion. などにしようと思えばできるが、やはり簡単なほうがよい。試験対策など理屈先行で英単語を覚えてもしょうがない。ポイントはその場で通じ合えること。

Stage 5
TEENAGER

Definition: 「……のせい?」という質問には **It's** を主語にして答えることができる。「……のせい」と人に対していうには **It＋...'s fault.** になる。

GROWN-UP It's not your fault.
あなたのせいじゃないよ

暴走族に入ってしまった娘の母親を、その友だちが慰めています。

A: I should have...

B: It's not your fault.

訳：A：……すべきだったわ。
　　B：あなたのせいじゃないよ。

ONE MORE STEP

　「……のせい」と人に対していうには It's＋人だけでなく It's＋...'s fault. になる。つまり、「大丈夫、あなたのせいじゃないよ」といいたいときは、It's not you. というより It's not your fault. が確実。あるいは「ごめん、僕が悪い」なら It's my fault.。犬があなたを警戒してほえたことで、飼い主に謝られたら *It's not his fault.* He can't help it. (*p*.188参照) といえる。「……のせいにする」という動詞は fault ではなく、blame。例えば「人のせいにするな」は Don't *blame* other people.。

EXERCISES

It's...を使って英文にしよう。
(1) [友だちから嫌われているんじゃないかという人に対して] 気のせいだよ。
(2) [交渉が成立しなかったのは] あなたのせいじゃないわ。
(3) [かびが生えたのは] 湿気のせいだ。

[解答例は*p*.226]

これは英語で何ていうのかな？

ゲームセンターでひさしぶりに友だちにばったりあった。

ひさしぶり

Long time no see.

ひさしぶり

TEENAGER

Hey! Long time no see.

Yeah. How've you been?

訳：A: ひさしぶり。
　　B: やあ、元気だった？

POINT

　Long time no see. の意味は、まさに日本語の「ひさしぶり」にあたる。もし、「どうもおひさしぶりです」とフルセンテンスでいうなら、It's (It has) been a long time. という。アメリカ社会では目上の人でも、会社のランクが上の人でも Long time no see. を広く使う。そういわれたら相手は Yeah, it's been X years.（そうね X 年ぶりぐらいですね）、あるいは How have you been?（元気だったの？）、または Where have you been?（どこにいたの）などと答える。

BE CAREFUL

　シンプルに表せるユーモアを紹介しよう。ひさしぶりに「食べ物」（例えば日本料理）を目の前にして、「ひさしぶり！」Long time no see. というと、どの国でも笑いがとれるはず。それから欧米だけではなく、たいていの国では、ちょっと親しいビジネスの付き合いでも「ひさしぶり」に再会するシーンでは、お互いに軽く抱き合うので、その覚悟もしておこう。

Stage 5 TEENAGER

Definition: Long time no see. はまさに日本語の「ひさしぶり」にあたる。「ひさしぶりに……している」は It's been a long time since...。

GROWN-UP It's been a long time since... ひさしぶりに……している

テニスクラブで、ひさしぶりにラケットを振った男性同士が話しています。

A: **It's been a long time since** I've swung a tennis racket.

B: Yeah, me too.

訳：A: ひさしぶりにラケットを振っているんですよ。
　　B: そうですねえ、私もですよ。

ONE MORE STEP

　　It's been a long time (since)... は、ひさしぶりに何かをやり始めたときでも、やり始める前でも使える。例えば、実際にグアム島に着いたときでも、あるいは出発する前でも、「ひさしぶりのグアムだな」*It's been a long time since* I've been to Guam. といえる。ここでは現在完了形の I've... だが、口頭では単純な過去形にすることも多い。例えば、ひさしぶりに何かを食べるときは、*It's been a long time since* I had ＋食べ物の名前。「ひさしぶりの英会話レッスン」の場合は *It's been a long time since* I practiced English. という。

EXERCISES

long を使って英文にしよう。
(1) ひさしぶり。
(2) ひさしぶりのドライブだわ。
(3) ホントにホントにひさしぶり。

これは英語で何ていうのかな？

名前は何だったっけ？

顔はわかるけれど、名前が思い出せないので、もう1回聞いている。

[解答例は *p.226*]

WH...again?

……は何だったっけ？

TEENAGER

What's your name again?

Jeff. How about you?

訳：A: 名前は何だったっけ。
B: ジェフ。君は？

POINT

これは簡単な「何だったっけ？」と思い出しながらいう表現。完全に忘れたわけでも、聞いた覚えがないわけでもない状況のときに使う。つくり方は簡単で、疑問文の最後に again? をつけるだけ。質問っぽいイントネーションでいう。丁寧にしたければ、What's your name again? ではなく What was your name again? と過去形にする。日本語でいうと「何だっけ」に対して「何でしたっけ」という感じ。

BE CAREFUL

わからないことは即聞く、というのは英語のマナー。世界中の人たちと話していると、相手の名前が覚えづらいということもよくある。もちろん、アプローチとして I'm sorry I forgot your name. といってもよいし、そのまま I'm sorry, what was your name again? というのも失礼ではない。

Stage 5
TEENAGER

Definition: What... again? で「……は何だったっけ」と思い出しながら、名前などを尋ねる。what 以外に when、where も使える。過去形にするとより丁寧になる。

GROWN-UP　What was your...again?
……は何でしたっけ

商談で、ビジネス相手の新商品の名前を尋ねています。

A: **What was your** product's name **again?**
B: "Movie-met."

訳：A: あなた方の製品の名前は何でしたっけ？
　　B: ムービーメットです

ONE MORE STEP

...again? でいろいろなバリエーションを覚えておこう。犬の名前も、What's your dog's name, again? と聞けるし、友だちの旦那の名前も What's your husband's name, again? と聞ける。また、相手の髪型やカットが格好いいので、その美容室に行ってみたいと思ったときに What was the name of your hair dresser again? などと尋ねることができる。この ...again? は When was your birthday again?（あなたの誕生日はいつでしたっけ？）のように what 以外の疑問文の最後につけてもよい。

EXERCISES

What を使って英文にしよう。
(1) お名前、何でしたっけ。
(2) 君のネコの名前、何だったっけ。
(3) あなたのところの不動産屋の名前、何でしたっけ。

[解答例は p.226]

これは英語で何ていうのかな？

ハムスターのエサをどのくらいの頻度でやればいいのか知りたい。

どのくらいのペースで？

99 How often?
どのくらいのペースで？

TEENAGER

A: You have to give her one scoop of sunflower seeds.
B: How often?

訳：A: ヒマワリの種をひとつかみ与えなければならない。
B: どのくらいのペースで？

POINT

ここでは How often? と短く省略して聞き返すことと、「How＋副詞」の疑問文のふたつがポイント。「バスはどこに来るの？」とまず聞き、その答えを受けて、「本数は結構あるの？」という意味で How often? と聞く。その答えには Once an hour.（1時間に1本）とか Twice a day（1日に2本）などになる。このほかにも、How far?（どのくらい［遠いの］？）、How long?（どのくらい［の期間］？）などといえる。

BE CAREFUL

文を省略するコツをつかめば、英会話もラクになる。いつも省略できるのは受け答え。日本語でも自然に同じことをしている。「結構遠いですよ」といわれると「ここから何分ぐらいかかりますか」とまではいわず、「どれくらい？」と聞く。英語でも How far? といって、その後の話の流れで詳しく聞いていけばいい。

Stage 5
TEENAGER

Definition: 頻度を確認するには、**How often?** が便利。**How often do you...?** は会話を切り出すときにも有効だ。

GROWN-UP

How often do you play...?
どのくらいのペースでやってるんですか？

ふたりの男性がチェスをしながら、どのくらいゲームをするのですか、と聞いています。

A: **How often do you play chess?**

B: **About once a week. How about you?**

訳：A: どのくらいのペースでやってるんですか？
　　B: 1週間に1回くらいですかね。あなたはどうです？

ONE MORE STEP

　スポーツなどで、相手が上手かどうか知りたいときに、日本とアメリカでの聞き方は異なる。日本でよく聞くのが、「テニスは何年やっていますか」だが、アメリカではそういう「〇〇歴」の長さでなく、How often do you play tennis?、または How often do you practice? のように頻度を聞く。もちろん How many years / How long have you been playing tennis? と聞くのもOK。

EXERCISES

often を使って英文にしよう。
(1) どれくらい？
(2) よくボウリングするの？
(3) よくふたりで会ったりするんですか。

[解答例は p.226]

これは英語で何ていうのかな？

これからアメフトの試合。女の子が男の子にエールを送る。

がんばって。

100 Good luck.
がんばって

TEENAGER

Good luck.

Thanks.

訳：A: がんばって。
B: ありがとう。

POINT

「がんばって」という意味で一番よく使われる表現。Good luck. は「運」にはあんまり関係ない。例えば、「宝くじに当たるといいね」というときには、Good luck. ともいえるが、I hope you win. というほうが一般的。特に、スポーツ、テスト、宿題に関する「がんばって」は Good luck. をよく使う。また、Good luck. のあとにいつがんばるのか、*Good luck* this afternoon. のように、時間を表す言葉をつける。最後に *Good luck*, Robin. と、相手の名前をつけることも多い。

BE CAREFUL

一番よく使う「がんばって」は Good luck. である。Hang in there. はよっぽど相手が苦しんでいる最中にしかいわない。また、Do your best. は命令調になるから注意。ただ、「私はがんばります」は I'll do my best. で OK。Fight. は単に「勝負開始！」という、まるでボクシングのレフェリーの言葉のようだ。「あなたならきっとできるよ！」You can do it! も「がんばって」という気持ちで使うことができる。

Stage 5
TEENAGER

Definition: 「がんばって」といいたいときに、一番よく使う表現が Good luck.、「……をがんばって」なら Good luck with... という。

GROWN-UP **Good luck with...**
……をがんばって

デートの準備をしている同僚に、励ましの言葉をかけています。

A: **Good luck with your date.**
B: **Thanks. I'm really nervous.**

訳：A: デート、しっかりな。
　　B: ありがとう。すっごくドキドキしてるんだ。

ONE MORE STEP

　相手が何かのチャレンジ（試験、試合など）に立ち向かうときに、Good luck with...（……をがんばって）という。特に相談されたことのある人に対していう。「（これからやる）講演をがんばって」というときには、*Good luck with* your speech. といえばいい。また、例えば、*Good luck with* Mr. Simpson. のように、「Good luck（with-）＋人」ならば、「その人との会議（打ち合わせ、話し合いなど）をがんばって」という意味になる。

EXERCISES

Good luck を使って英文にしよう。
(1) 今日はがんばってね。
(2) インタビュー、がんばって。
(3) テスト、がんばれよ。

［解答例は*p.226*］

EXERCISESの解答例

81. *p.*187　(1)I love your sweater.　(2)I love this program.　(3)I don't like this comedian very much.

82. *p.*189　(1)I can't help falling asleep.　(2)There's nothing I can do about his attitude.　(3)There's nothing our company can do about it.

83. *p.*191　(1)I'm not sure why.　(2)I'm not sure how to explain it.　(3)I'm not sure how to explain it, but I'll try.

84. *p.*193　(1)この計画は無駄だと思うんだけど。What do you think?　(2)弊社と致しましてはその建物を購入したいと考えているのですが。What does your company think?

85. *p.*195　(1)Take your time.　(2)Take your time with him.　(3)Please take your time with your decision.

86. *p.*197　(1)Are you sure?　(2)Are you serious?　(3)Are you kidding?

87. *p.*199　(1)I'll tell you after dinner.　(2)I'll let you know as soon as possible.　(3)Would you let me know right away?

88. *p.*201　(1)Let me know when it stops raining.　(2)Would you let me try?　(3)Would you let me know when we get to 3rd avenue?

89. *p.*203　(1)I wish I could have gone too.　(2)I wish I could, but I have to wait for a phone call.　(3)I wish I could go out on a date, but I have to finish this book.

90. *p.*205　(1)I hope I can see you again.　(2)I hope he doesn't come.　(3)I hope the bus comes soon.

91. *p.*207　(1)I have a favor to ask. Would you walk my dog?　(2)I'd like to ask you a favor. Would you take a picture with me?　(3)I'd like to ask you a favor. I want to write a book. Would you give me some advice?

92. *p.*209　(1)Trust me. I'll do my best for you.　(2)Trust me when it comes to Tokyo's trains.　(3)Trust me when it comes to American women.

93. *p.*211　(1)Just joking.　(2)I'm just a part time worker.　(3)It's just rain.

94. *p.*213　(1)What's the difference?　(2)What's the difference between yours and mine?　(3)What's the difference between a Japanese face and a Chinese face?

95. *p.*215　(1)Just a minute. I'm lost.　(2)I'm sorry. I'm lost.　(3)I'm sorry. I'm lost. Would you say that more slowly?

96. *p.*217　(1)It's your imagination.　(2)It's not your fault.　(3)It's the humidity.

97. *p.*219　(1)Long time no see.　(2)It's been a long time since I've been for a drive.　(3)It's been too long.

98. *p.*221　(1)What was your name again?　(2)What was the name of your cat again?　(3)What was the name of your real estate agent again?

99. *p.*223　(1)How often?　(2)How often do you bowl?　(3)How often do you see each other?

100. *p.*225　(1)Good luck today.　(2)Good luck with your interview.　(3)Good luck with your test.

重要表現の口慣らし練習用リスト

コアになる表現の中から、6つを抜き出して、そのバリエーションをそれぞれ10個ずつ挙げている。13ページで示した練習法を参考にして、このリストをもとに自分でいろいろな表現を作ってみよう。

① TOP 10 "That's..."

- [ ] **That's too bad.** （今いったことは）残念ですね。
- [ ] **That's disgusting.** （今やったことは）きったない。
- [ ] **That's enough.** （今出したもので）十分です。
- [ ] **That's impossible.** （今いったことは）無理だよ。
- [ ] **That's weird.** （今いったことは）へん。
- [ ] **That's too early.** （今いった時間では）早すぎる。
- [ ] **That's not fair.** （今やったことは）ずるいよ。
- [ ] **That's good.** （今いったことは）それ、よかったね。[よく使うあいづち]
- [ ] **That's taboo.** （今いったことは）タブーだ。
- [ ] **That's not true.** （今いったことは）本当じゃない。

② TOP 10 "Is that / this...?"

- [ ] **Is that so?** （今いったことは）そう？[自然な英語のあいづち]
- [ ] **Is that OK?** （今やろうとしていることは）それでいい？
- [ ] **Is that legal?** （今やろうとしていることは）合法的なの？
- [ ] **Is that possible?** （今やろうとしていることは）可能なの？
- [ ] **Is that for sale?** 売り物ですか？
- [ ] **Is that necessary?** （今やろうとしていることは）それって必要？
- [ ] **Is that mine?** それ、私のもの？
- [ ] **Is this yours?** これ、あなたの？
- [ ] **Is this the ABC building?** （これは）ABCビルディングですか？
- [ ] **Is this Elvis Presley?** これはエルビス・プレスリーの曲？

❸ TOP 10 "WH + that questions"

- [ ] **What's that called?** それ、何ていうの？
- [ ] **What's that in English?** それ、英語で何ていうの？
- [ ] **What's that mean?** それって、どういう意味？
- [ ] **What's that for?** それって、何で使うもの？
- [ ] **What's that about?** それって、どういうテーマ？
- [ ] **Who is that?** それって、誰？
- [ ] **Who was that?** それって、誰だったの？
- [ ] **Whose is that?** それは誰の物？
- [ ] **When was that?** それって、いつのこと？
- [ ] **Where was that?** それって、どこで？

❹ TOP 10 [That が主語の表現]

- [ ] **That sounds fun.** おもしろそうだね。
- [ ] **That sounds good.** いいね。よさそう。（よく使うあいづち）
- [ ] **That sounds like a lot of work.** 大変な仕事のようだね。
- [ ] **That looks fun.** 楽しそうだね。
- [ ] **That looks delicious.** おいしそうですね。
- [ ] **That looks expensive.** 高そう。
- [ ] **That feels good.** 気持ちいーい。
- [ ] **That makes me sad.** それって悲しくなるね。
- [ ] **That really makes me happy.** それを聞いて、私、本当に幸せ。
- [ ] **That disappoints me.** それを聞いてがっかりした。

❺ TOP 10 "Let's + V"

- ☐ **Let's have (food name).** ……を食べよう。
- ☐ **Let's go (place + time).** ［いつ］［……に］行こう。
- ☐ **Let's meet at (place + time).** ［いつ］……で待ち合わせしよう。
- ☐ **Let's do this again.** これをまたやろうね。
- ☐ **Let's call.** 電話しよう。
- ☐ **Let's check.** 調べてみよう。
- ☐ **Let's go in.** 入ろう。
- ☐ **Let's take the (** 交通手段 **).** ……に乗ろう/……で行こう。
- ☐ **Let's come back later.** 後でまた来よう。
- ☐ **Let's see.** そうねえ。

❻ TOP 10 "Let's not + V"

- ☐ **Let's not fight.** けんかはよそうよ。
- ☐ **Let's not have curry with rice again.** カレーライスは勘弁して。
- ☐ **Let's not take the bus.** バスに乗るの、やめようよ。
- ☐ **Let's not do that again.** そんなこと、二度とやらないよね。
- ☐ **Let's not worry about that.** そんなことどうでもいいじゃない。
- ☐ **Let's not think about that.** そんなことを考えるの、やめようよ。
- ☐ **Let's not split hairs.** 細かいことでもめるのは、やめようよ。
- ☐ **Let's not drink tonight.** 今夜は飲むのやめようよ。
- ☐ **Let's not drive.** 車で行くの、やめようよ。
- ☐ **Let's not.** やめようよ。

暗記用 100フレーズ・リスト

切り取って、100の表現を覚えたかどうかをチェックするとともに、このリストを参考に、表現をどんどん使いこんでみてください。

#	フレーズ	例文	解説
1	**Go ahead.** どうぞ/やっていいよ	Go ahead and use mine. どうぞ、私のを使ってください。	May I ?（いいですか？）と聞かれ「どうぞ」といいたいときに Go ahead.。
2	**Here.** さあ/はいどうぞ	Here's a little something for you. 少ないですがどうぞ。	誰かに「どうぞ」と物を渡すときには Here. や Here you are.。
3	**Almost!** おしい！	I work overtime almost every day. ほとんど毎日残業している。	文中の「ほとんど……」は必ず almost every / all...。
4	**Not yet.** まだダメ	We don't have our menus yet. まだメニューをもらっていないんですが。	「まだ……ない」というときには、否定文の最後に yet をつけるだけでいい。
5	**It's OK.** だいじょうぶ	It's going to be OK. なんとかなりますよ。	It's OK. は相手を慰めることば。That's OK.（気にしないで）は謝られたときに使う。
6	**Can you... ?** ……してくれる？	Would you get me that box? あの箱を取ってくれますか？	頼むときには、ソフトな Would you...? を使う。
7	**Good!** 上手ね/よかったね	Good for you. よかったね。	Good for you. は、Congratulations! より一般的に軽く使える。
8	**Just a little.** ちょっとだけね	I'm a little concerned about your outfit. キミの格好がちょっと気になっているんだがね。	ソフトにしたい表現の前に a little をつける。
9	**Don't.** よしなさい/やめて	Please don't. おやめください。	Please don't. は相手の行動を丁寧に止めることのできる表現。
10	**Be＋形容詞** ……しなさい	Be careful with the boss today. 今日のボスには気をつけて。	Be careful with... は相手に注意を促すとき、アドバイスするときに使う。

230

#			
11	**Don't be**＋形容詞 ……しないで	Please don't rush me. そんなにせかさないで。	Please を文頭につけると丁寧な形になる。
12	**That's a waste.** それってもったいないよ／もったいない	That's a waste of time and money. 時間とお金のムダだよ。	That's a waste of... で、「……がもったいない」。
13	**We'll see.** 様子をみよう／今はだめ	We'll see whether the newspapers print the story. 新聞がその記事を書くかどうか、様子をみよう。	「そうねえ」という感じで、とりあえず様子をみようというときに使われる。
14	**OK?** いい？／だいじょうぶ？	Is it OK if I just watch today? 今日は見ているだけでいいですか？	Is it OK if... は、これからやることが、ルール違反になるかどうかを尋ねるときに使う。
15	**I want some.** ほしい／ちょうだい	I'd like a smaller helping. もっと量を減らしたいのですが。	人に対しては I want... ではなく I'd like＋ほしいものと丁寧に尋ねる。
16	**What's that?** それって何？	What's that called? それ、何ていうんですか？	英語での呼び方を忘れたときは、What's ... in English? (英語で……を何というの)と尋ねる。
17	**I want to**＋動詞 ……したい	I'd like to move to a different seat. 席を替わりたいんですが。	「……したくない」は I wouldn't like to ... より I'd rather not... がよく使われる。
18	**I'm sorry about that.** ごめんなさい	I'm sorry I'm late. 遅れて本当にごめんなさい。	I'm sorry＋主語＋動詞 が sorry を使った言い回しの中で、一番深く謝っているように聞こえる。
19	**Thanks.** ありがとう／どうもすみません	Thanks for coming today. 今日は来てくれてありがとう。	Thanks for の後は動名詞や your＋名詞。
20	**Can I ...?** ……してもいい？／いい？	May I have a receipt? レシートをいただけますか。	May I have＋ほしいもの？は「……をお願いします」と、ものをソフトに要求できる。

21	**What's that mean?** それってどういう意味？	What's "konjo" mean? 「根性」ってどういう意味？	自分にわかりやすいように相手に歩み寄ってもらうときにも使える。
22	**…, right?** ……だよね？/……ですよね？	It's cold today, isn't it? 今日は寒いですねえ。	…, right? は「念を押して確認する」。付加疑問文は「おしゃべり」。
23	**Why?** なんで？/どうして？	Why is that? なぜですか？	丁寧に聞き返したいときは Why is that?。
24	**Hi!** こんにちは/どうも	It's nice to meet you. はじめまして。	知っている人でも、知らない人でも、人に会ったら Hi! I'm + 自分の名前といおう。
25	**Oh, well.** ま、しょうがない	Well... All right. しょうがないなー。じゃあいいよ。	Oh, well. はわりと軽いハプニングに対して使う。
26	**How was...?** ……はどうだった？	How do you like Japan? 日本はどうですか？	「どうだった？」「どうですか？」と尋ねるには How about...? ではなく How was / is...?。
27	**How about...?** じゃあ……は？	How about sending flowers? 花でも贈れば？	何かを提案するときや、聞き返すときに使える。
28	**What about...?** ……はどうなるの？/……はどうなってるの？	What about your job? 仕事はどうするの？	軽く注意したり、確認したりするのに使える。
29	**Tell me too.** 私にも教えて	Tell me about your company. あなたの会社について教えてください。	相手に関心を持っていることを示す表現、tell me…。ただ単に情報を求めるときは Would you tell me...?。
30	**Tell me what happened.** 何があったか教えて	Would you tell me what happened one more time? もう一度、何があったか話していただけますか。	Would you tell me +5W1H...? と、他の疑問詞に置き換えができる。

#	フレーズ	例文	解説
31	**That's not＋形容詞** それって……じゃない	That's really rude. ホントに失礼ね。	英語では必ず主語をつける。That's ... で英語らしい文を口にできる。
32	**That＋動詞** それって……	That looks difficult. 難しそうねえ。	強調するときは That really＋動詞。That＋動詞 very much. は不自然。
33	**Is that enough?** それでたりる？	Is that really necessary? ほんとに、そこまでやる必要がありますか？	Is that...?「(それって……)ですか？」のひとことで念押しや確認ができる。
34	**after that** その後……	What did you do before that? で、その前はどうしてたんだ。	after that や before that は物事を順序立てて話すときに必要だ。
35	**I don't feel like it.** いやだ！/やりたくない/ちょっとその気になれないよ	I don't feel like talking right now. 今は話したくないの。	I don't feel like -ing で「……する気分ではない」と意味をふくらませられる。
36	**How old are you?** 何歳？	How old is this house? この家は建ってどのくらいになるんですか。	How old のあとに is this...? を入れるといろいろなことがいえる。
37	**What's wrong?** どうしたの？	What's wrong with this? これは何がいけないの？	What's the matter? も同じ。第三者や他のものについて「どうしたの？」なら、with... をつける。
38	**I need...** ……ちょうだい/……をお願いします	I need to get back to the office. 会社に戻らなくては。	need ... は「……がないと困る」ニュアンス。また、need to ... より have to... のほうが強い。
39	**I have to...** ……しなくちゃ/……しなくちゃいけない	You don't have to eat it all. 全部食べなくてもいいのよ。	must は会話ではほとんど使わないので、have to ... を使おう。You don't have to... は気配りの表現。
40	**Do I have to?** やらなきゃいけないの？/しないとだめ？	Do we have to wear a swimming cap? スイミングキャップをかぶらなければならないですか。	Do I have to...? でやらなければならないことやルールを確認できる。

233

#			
41	**What do I have to do?** 何をしなきゃいけないの？	**When do I have to** finish this? いつまでにこれを終わらせなければいけませんか？	疑問詞＋do I have to＋動詞？でいろいろな質問ができる。
42	**Sure.** いいよ	**My pleasure.** いつでもいいです。／どういたしまして。	何かを頼まれてフレンドリーに「いいよ」と引き受けるなら Sure.。
43	**I'm not sure.** ちょっとわからない	**I'm not sure if** we can trust him. 彼を信じていいかどうか、わからない。	「どう思う？」と聞かれたら、I don't know. より I'm not sure. がいい。
44	**See you later.** またね／ではまた／ではどうも	**See you in** two weeks. 2週間後にまた。	See you の後に曜日や日にちを入れるときは See you Monday. で前置詞はいらない。
45	**We should...** ……したほうがいいよ	**Why don't you** use this? これを使ってみたら。	知らない人に「……したほうがいいよ」といいたいときは Why don't you...? のほうが自然。
46	**Should I...?** ……したほうがいい？	**Should we** ask the waiter? ウエイターに聞こうか？	「こうしようか」と聞きたいなら Let's... よりも Should we...? のほうがソフト。
47	**What should I ...?** 何を……すればいい？	**Where should I** park? どこに停めたらいい？	自分がすべきことがわからず困ったら、このひとこと。
48	**We're supposed to...** ……することになっている／……するはず	She **was supposed to** be here an hour ago. もう1時間前にここにいるはずだったのに。	物事が予定通りうまくいかないときに使う表現。
49	**Don't worry about it.** 気にしないで／だいじょうぶ	**Don't worry about what** they say. 彼らのいっていることは気にしないで。	Don't worry. は強い口調になる。Don't worry about it. といおう。
50	**You're lucky.** うらやましい／いいなあ……	**You're lucky** he is your husband. 彼がご主人だなんてうらやましいわ。	「運がいいね」は You have great luck.。You're lucky＋主語＋動詞で「……があるなんてうらやましい」。

#			
51	**You'll be sorry.** 後悔する（と思う）よ	**You'll be sorry if** you don't finish it today. 今日中にこの仕事を終わらせないとまずいぞ。	I'll be sorry if I don't …で「私……しないと後悔するかも」といえる。
52	**I have an idea.** よし、こうしよう/ね、こうしない？	**I have an idea for** improving our sales. 営業成績を上げるための提案があるんですが。	I have an idea. は自分から積極的に行動しようとするときにいうことば。
53	**I'll think about it.** 考えとく/考えておきます	**I'm thinking about** retiring and going to Thailand. 引退して、タイに行こうと思っているんだ。	何かを提案されて即答できないときの受け答えは、I'll think about it.。
54	**There's... in~** 〜に……がいる/ある	**There's nothing to** eat in the refrigerator. 冷蔵庫の中に、何にも入ってないよ。	There is は付属物であってもなくても使える便利な表現。
55	**Is there...?** どこに……がありますか/…がいますか	**Is there something** stuck in this fax machine? ファックスに何か詰まっている？	Is / Are there ...? は「……が(は)ありますか？」と聞くときの基本表現。
56	**I saw...** ……に会った	**I ran into** Tom today. 今日、トムとバッタリ会ったよ。	「会う/見かける」は see。meet は「約束して会う」場合。
57	**That what-cha-ma-call-it.** あれ、あれだよ	**The thing that** you use to see the stars. 星を見るときに使うものですよ。	何かをいおうとして、ことばが思い出せないときに使う。
58	**My＋[体の部分]＋hurts.** [……]が痛い	**I have** a headache. 頭痛がする。	便利なのは「I have＋病名」。
59	**I can't wait!** 待てなーい！/楽しみ！	**I'm looking forward to** working with you. 仕事をご一緒するのを楽しみにしています。	I can't wait. を暗い顔でいうと「もう待てないよ」「早くしろ」になってしまう。
60	**I knew it!** やっぱり！	**That figures.** ほらね。やっぱり。	I knew that. は「そんなこと知ってたよ」というきつい言い方になる。

61	**Do you mean this?** つまり、これってこと？	Do you mean...you lost? つまり、負けたってこと？	Do you mean...？で「……ってこと？」と話の内容を確認する。
62	**That's not what I meant.** ちがうちがう	That's not what I meant to order. 私の注文したものとはちがいます。	訂正することばは No. ではなく That's not what I meant.。
63	**I'll get it.** 私が捕まえるよ/やりますよ/しておきます	I'll try. がんばるわ。	肯定的に I'll try. I'll do my best. といったほうが好印象。
64	**I think I...** 私は……だと思う(けど)	I think the problem is the battery. 問題はバッテリーだと思う。	I think I understand. はもうちょっとやさしく説明して、と相手に暗に要求する言い方。
65	**Maybe it's...** たぶん……かな/もしかして……かも	They're probably closed. おそらくしまってるよ。	確率でいうと Maybe が50％くらい、I think が80％くらいとすると、Probably が70％くらい。
66	**Everyone does it.** みんなやっている	Most people like it. たいていの人が好きですよ。	Everyone does it. は頻度や物事を大げさに表現したい場合に使われる言い回し。
67	**not that...** そんなに……ではない	I didn't think the test was that difficult. テスト、そんなに難しくなかったわ。	「あんまり/そんなに……ではない」を表すには not that＋形容詞。
68	**What...?** どの……？/何の……？	What racket do you use? どこのラケット使ってる？	「何の……/どこの……/どの……？」の場合は What...? で聞く。
69	**Which one?** どれ(ですか)？/どっち(ですか)？	Which one is better, this one or this one? こっちとこっち、どっちがいい？	「どれ？」と聞きたい場合は、簡単に Which one? でよい。
70	**be -ing** ……する(つもり)/……することになっている	Are you coming tomorrow? 明日来ることになっている？	現在進行形は、しばしば未来を表す。

#			
71	**might** ……かもしれない	I might finish early tonight. 今夜は仕事が早く終わるかも。	不確実な未来の可能性をいうときには、willではなくてmightを用いる。
72	**Never mind.** 何でもないです/気にしないで	I don't mind. かまいませんよ。	相手に伝えようとして通じなかったとき、話の方向を軌道修正できる。
73	**Do you want some?** いる?/ほしい?/いります?	Would you like a refill? おかわりをおつぎいたしましょうか?	Do you want...? はものを勧める際の一番普通のいい方。
74	**Do you want to ...?** ……したい?/……します?	Would you like to test-drive it? 試乗されますか?	Do you want to＋動詞は「……したい?」と誘うときの定番表現。
75	**Let's...** ……しようよ	Why don't we take the bus? バスで行きませんか?	Let's は Let us の短縮形なので、togetherや with me はつけない。
76	**Let's not.** やめようよ	I'd rather not. やっぱりやめておこう。	誘われ、考えたうえで「やっぱりやめよう」というなら Let's not. や I'd rather not.。
77	**I used to.** 前はね	You used to be 77kg. 前は77キロだったのに。	「以前はね」というなら、before ではなく I used to.。
78	**It depends.** 場合によるね/一概にはいえない	It depends on the traffic. 車の流れ次第だな。	Yes. や No. でなく「場合によるね」という便利な表現は It depends.。
79	**You decide.** あなたが決めて	It's up to you. あなたのいいほうでいいよ。	You decide. は相手に決めてもらいたいときに使う。
80	**Come on.** いいからおいで/行こう	"This is my best price." "Come on." 「値段はこれくらいだね」「うっそー」	相手の言い分をカジュアルに否定するなら Come on.。

#			
81	**I love this!** これ、大好き	**I don't like** horror films **very much**. 僕、ホラー映画ってそんなに好きじゃないんだよね。	「愛する」という意味でなく、「大好き」という意味の love。
82	**I can't help it.** しょうがない	**There's nothing we can do about** it. どうしようもないよ。	自分のコントロール外のことで責められたときに言い返すことば。
83	**I'm not sure how.** どうやったらいいのか、わかんないよ	**I'm not sure how to explain it.** どう説明していいかわからない。	「ちょっとやり方に自信がない」けれど「やってみたい」という前向きな表現。
84	**What do you think?** どう思う？／どう？	**What do you think about** the new president? 新しい大統領、どう思う？	What do you think about...? は会話を切り出すときにも使える。
85	**Take your time.** ゆっくり時間をとって／ごゆっくりどうぞ／あわてないで	**Take your time with** this project. このプロジェクトには時間をかけよう。	Take your time with... は「……は急がなくても結構です」「……には気をつけていこうね」。
86	**Are you sure?** ほんと？／間違いない？	**Are you serious?** それ、ホント？	あいづちの Really? とはちがい、Are you sure/serious? は本当に確認するときに。
87	**I'll tell you later.** あとでね	**I'll let you know** tomorrow. 結果は、明日、伝えます。	I'll tell you later. は「あとで教えるよ」と話をあと回しにする表現。
88	**Let me＋動詞** 私に……させて	**Let me know** when he calls. 彼が電話してきたら、教えて。	Let me do it. は「私に……させて」。親しい人同士で使われる。
89	**I wish...** ……だったらいいなあ	**I wish I could, but** I have to be out of town. そうしたいけど、いないんだ。	I wish... は「できないこと／できなかったこと」への後悔を表すことば。
90	**I hope...** ……するといいね／……になるといいね	**I hope it doesn't** rain. 雨が降らなきゃいいけど。	I hope 主語＋動詞 は「これからこうなるといいね」というしつこくない願い。

暗記用
100フレーズ・リスト

91	I have a favor to ask. お願いがあるんだけど	I'd like to ask you a favor. お願いがあるんですけど。	本題に入る前のアプローチのことば。
92	Trust me. 私にまかせて	Trust me when it comes to sushi. 寿司のことならまかせてよ。	「……のことならまかせて」は Trust me when it comes to... という。
93	Just joking. 冗談よ	It's just a test. ただの訓練だよ。	Just joking. は軽く「冗談だよ」と相手をいなす言い方。
94	What's the difference? どこがちがうの？/どうちがう？	What's the difference between your computer and mine? 君のコンピューターと僕のとどうちがうんだろう。	なるべく between... and... と比較する選択肢をあげよう。さらに具体的になる。
95	I'm lost. 迷っちゃった	I'm sorry. I'm lost. すいません。チンプンカンプンなんですが。	I'm lost. は「何かを探している」と切り出す前の前置きの表現。
96	It's your imagination. 気のせいよ	It's not your fault. あなたのせいじゃないよ。	「……のせいだよ」は It's... で通じる基本表現。
97	Long time no see. ひさしぶり	It's been a long time since I've swung a tennis racket. ひさしぶりにラケットを振っているんですよ。	「ひさしぶりに……している」は It's been a long time since...。
98	WH...again? ……は何だったっけ？	What was your product's name again? あなた方の製品の名前は何でしたっけ？	What... again? は「……は何だっけ」と思い出しながら、名前などを尋ねる表現。過去形のほうが丁寧。
99	How often? どのくらいのペースで？	How often do you play? どのくらいのペースでやってるんですか？	バスの本数にも、エサをあげるペースにも、How often? が使える。
100	Good luck. がんばって	Good luck with your date. デート、しっかりかな。	Good luck. は「がんばって」といいたいときに、一番よく使う表現。

● 著者プロフィール ●

スティーブ・ソレイシィ (Steve Soresi)

ワシントンDC生まれ、フロリダ州育ち。1994年に来日後、早稲田大学で日本語、マスメディア理論を学び、'98年、同大学院を修了。2009年、青山学院大学大学院国際政治学研究科博士課程修了。拓殖大学などの専任講師を経て、'11年に英語教育機関、ソレイシィ研究所を設立。現在、同研究所の代表として英語教材の開発などを行う傍ら、NHKラジオ『英会話タイムトライアル』講師、BBT大学（ビジネス・ブレークスルー大学）教授を務めるなど、各メディアで活躍中。著書に『英会話きちんとフレーズ100』（小社刊）など。ソレイシィ研究所公式サイト www.soreken.jp、スティーブ・ソレイシィ公式サイト www.stevesoresi.jp

ロビン・ソレイシィ (Robin Soresi)

スティーブの母。バージニア生まれ。パンアメリカン大学卒業後、IBMなどの企業に勤務。米国会議員の秘書を務めた後、1972年にフロリダ州に移住。老人福祉の会社を通じ、講師としてさまざまなセミナーを担当した。在日中は、子どもから大人まで、幅広い層への英会話教授を経験。趣味は料理、読書、Bonsaiを含むガーデニング。

誰もここまで教えてくれなかった使える裏技
ネイティブなら子どものときに身につける
英会話なるほどフレーズ100

発行日　2000年4月10日（初版）
　　　　2014年12月9日（第36刷）
著者　　スティーブ・ソレイシィ、ロビン・ソレイシィ
編集　　英語出版編集部

AD：松本田鶴子　表紙イラスト：小林直子　本文イラスト：三輪一雄

ナレーション：トム・クラーク　辻 麻衣
　　　　　　　スティーブ・ソレイシィ　ロビン・ソレイシィ

録音・編集　有限会社 スタジオ ユニバーサル
CDプレス　株式会社 学研教育出版
DTP　　　株式会社 秀文社
印刷・製本　大日本印刷株式会社

発行者　平本照麿
発行所　株式会社アルク
　　　　〒168-8611 東京都杉並区永福2-54-12
　　　　TEL 03-3327-1101
　　　　FAX 03-3327-1300

Email：csss@alc.co.jp
Website：http://www.alc.co.jp/

落丁本、乱丁本は弊社にてお取替えいたしております。アルクお客様センター（電話:03-3327-1101、受付時間:平日9時〜17時）までご相談ください。
本書の全部または一部の無断転載を禁じます。著作権法上で認められた場合を除いて、本書からのコピーを禁じます。
定価はカバーに表示してあります。

©2000 Stephen Soresi / Robin Soresi / ALC PRESS INC.
Printed in Japan.
PC:7000531
ISBN：978-4-7574-0243-0

地球人ネットワークを創る

アルクのシンボル
「地球人マーク」です。